中国儿童
人体
学习百科

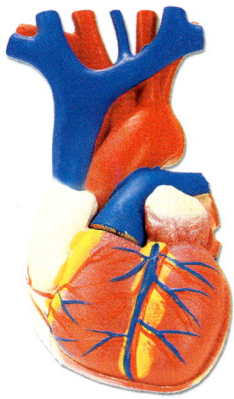

北京出版社 出版集团
北京出版社

创世卓越　荣誉出品
Trust Joy Trust Quality

中国儿童人体学习百科

图书在版编目(CIP)数据

中国儿童人体学习百科 / 邢涛，纪江红主编. — 北京：北京出版社，2005
ISBN 7－200－05983－8

Ⅰ.中… Ⅱ.①邢…②纪… Ⅲ.人体－儿童读物 Ⅳ.R32-49

中国版本图书馆 CIP 数据核字 (2005) 第 027988 号

总 策 划 / 邢涛
主　　 编 / 纪江红
执行主编 / 龚勋
编　　 撰 / 贾宝花　李凤霞

责任编辑 / 李小波
设计总监 / 韩欣宇
装帧设计 / 王洪文
版面设计 / 冯唯　任超
插图绘制 / 庞鹏
图片制作 / 周辉忠
责任印制 / 孟凡丽

北京出版社出版(北京北三环中路 6 号)
邮政编码 : 100011
网址 : www.bph.com.cn
北京出版社出版集团总发行
新华书店经销
北京冶金大业印刷有限公司印刷
889×1194　24 开本　4 印张
2005 年 5 月第 1 版
2005 年 5 月第 1 次印刷
ISBN 7－200－05983－8/R・282
定价 : 12.80 元
质量投诉电话 : 010－58572393

中国儿童
人体
学习百科

推荐序

　　在这 21 世纪知识资源全球化的时代，中国儿童需要装备什么样的知识来参与日益迫近的全球人才的竞争呢?

　　这是众多教育家和广大家长们急切关注的一个问题。

　　我认为能否在儿童成长中最重要的第一步——启蒙阶段——就让他们接受到世界上最先进的知识，建立起最适合他们身心成长的健全的知识结构，运用国际上最新的教育科研成果，引导他们踏上知识的探索之旅，培养他们的想像力、求知欲、意志力等将来对他们一生起到重要作用的优秀品质，是至为关键的。能有一套好书承担起这一崇高的使命，是我长期以来的期望。在茫茫书海中寻寻觅觅，这套《中国儿童学习百科》系列丛书最终锁定了我的眼球!

　　这套丛书共分为《宇宙》、《地球》、《植物》、《动物》、《科学》、《人体》、《历史》、《兵器》、《艺术》、《交通》十种，全面涵盖自然科学和人文科学的各个领域与门类，用通俗易懂的语言深入浅出地讲解宇宙奥秘、地球演化、植物属种、动物繁衍、科学原理、人体机能、历史进程、兵器功能、艺术流派、交通知识……并且，依照国际上最新的教育主张，在书中还精心设置了带有浓厚探索、动手实践色彩的精彩版块，将学习新知与动手动脑充分结合，使孩子们能在愉悦的阅读中得到更多的滋养。

　　怀着对广大中国儿童最良好的祝愿，我热切地向他们的家长推荐这套丛书!

世界儿童基金会

林去雷

中国儿童
人体
学习百科

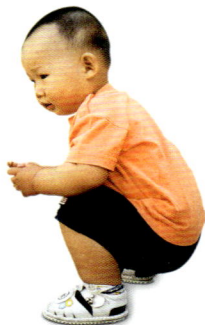

审定序

　　宇宙大爆炸真的发生过吗？地球里面究竟有什么？菌类是植物吗？恐龙灭绝的真正原因是什么？物质三态之间是如何转化的？遗传基因 DNA 是怎么回事？高度发达的玛雅文明为什么会突然消失？能在水中发挥巨大威力的兵器有哪些？早期的绘画形式有哪些？磁悬浮列车的运行原理是什么？……这些问题萦绕在儿童的脑海中，激荡着他们的好奇心和想像力，也不断催促着他们去寻找答案。而这套《中国儿童学习百科》丛书，正是为了充分满足孩子们的需求应运而生。

　　这套书共分为十册，涉及宇宙、地球、植物、动物、科学、人体、历史、兵器、艺术、交通等领域。体例新颖，正文部分设置了质量高、观念新的重要知识点，让孩子们获取最丰富的营养；所配实物图片生动、趣味性强，手绘原理图将枯燥、抽象化为具体、形象，帮助孩子们从知识的入口处即形成逻辑思维与形象思维的双重模式；另外，本书加入了"你知道吗"和"动手做"两个小栏目，让孩子们在学习之前预热头脑、灵活双手、发现问题，做好扬帆知识海洋的准备。

　　这套书所做的不仅是将知识传授给渴求知识的孩子们，更重要的是，将探求知识的方法、工具以及思维方式交到了孩子们的手中，并训练他们不断练习使用，从而具备独立面对问题、迎接挑战的能力——而这，正是孩子们真正需要的、最有价值的内容，是孩子们探索未来走向成功的一架桥梁！

中国儿童教育研究所

陈勉

前言

　　我是从哪里来的？为什么有人说我像爸爸，有人说我像妈妈？人为什么会死？为什么吃了脏东西会肚子疼？为什么受伤了会流血……每一位细心的家长都会感受到，在孩子成长的过程中，他们会对人体现象提出这样或那样的问题。这是一种十分难得且十分珍贵的好奇心和求知欲，如果孩子能及时地得到正确的引导，将会受益匪浅。有鉴于此，我们在充分了解孩子的认知模式和心理特点的基础上，编写了这本《中国儿童人体学习百科》。

　　全书精心策划了 44 个知识点，从现象到本质，从整体到局部，以生动活泼、浅显易懂的语言向孩子们讲解了他们最关心的人体知识，是一本帮助孩子们构建人体知识体系、树立科学人体观念的不可多得的小型百科全书。书中所有文字均配有拼音，既方便孩子们独立阅读，又有助于孩子掌握正确的读音。此外，我们在充分了解儿童阅读兴趣的基础上，采用了图文并茂的编排形式，选配了近 300 幅精美图片。这些图片生动直观地向孩子们展示了我们的身体结构、内部组织等，帮助孩子轻松地理解和掌握奇妙的人体，让他们看得一目了然、爱不释手！

　　在此，我们衷心希望这一内容新颖、适用性强的人体百科读本能够为孩子们构筑一个探索人体奥秘的乐园，让他们在获取知识的同时健康快乐地成长！

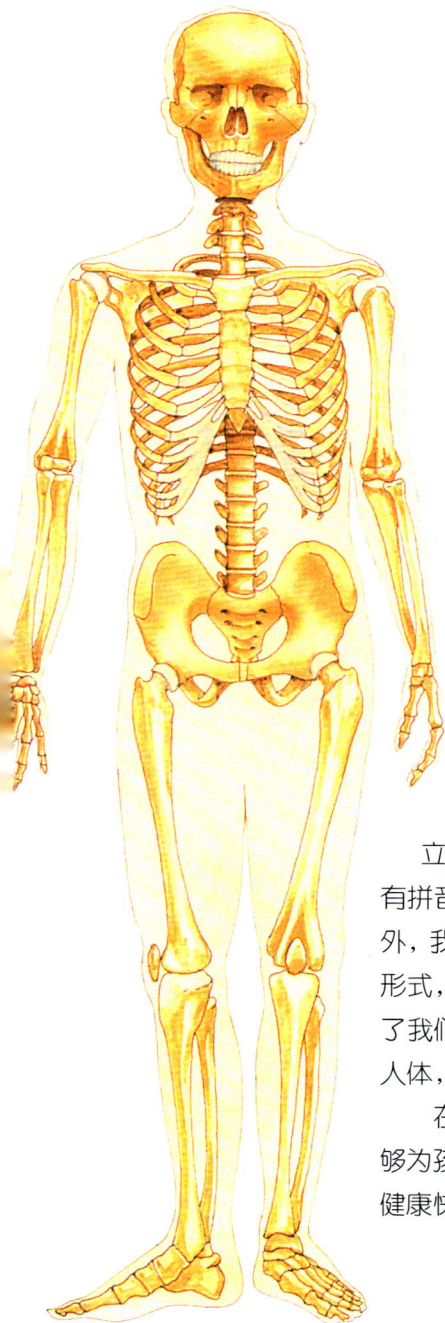

目录

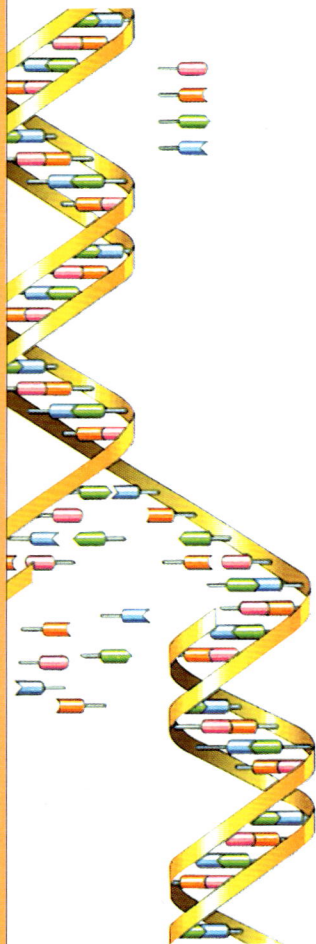

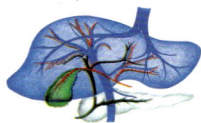

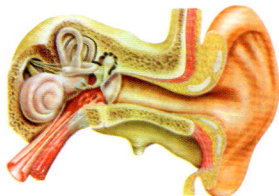

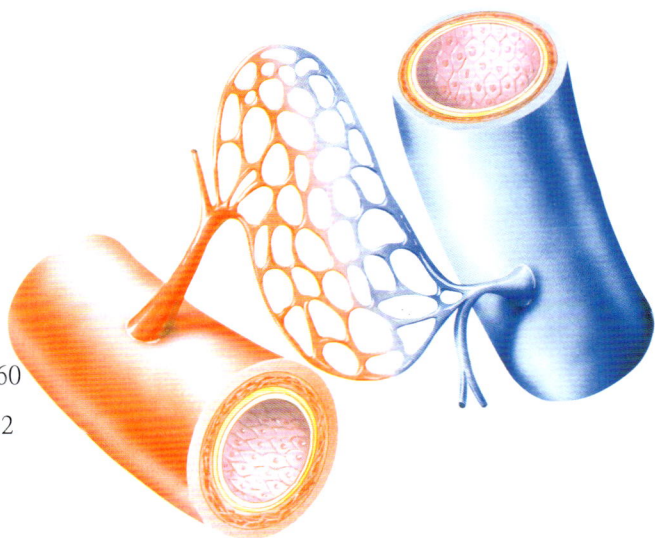

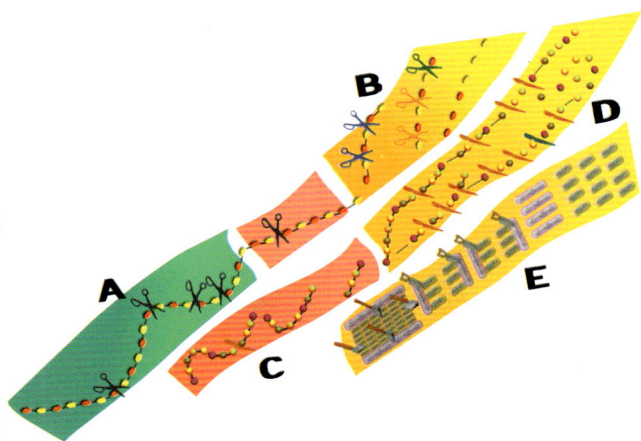

rèn shi wǒ men de shēn tǐ
认识我们的身体

dòng shǒu zuò
·动 手 做·

zài rì cháng de shēng huó zhōng nǐ huì jiàn dào gè zhǒng gè
在日常的生活中，你会见到各种各

yàng de rén yǒu pàng de yǒu shòu de yǒu gāo de yǒu ǎi
样的人，有胖的，有瘦的，有高的，有矮

de xiàn zài jiù qǐng nǐ zài huà bǎn shang huà yī gè rén ba
的。现在，就请你在画板上画一个人吧!

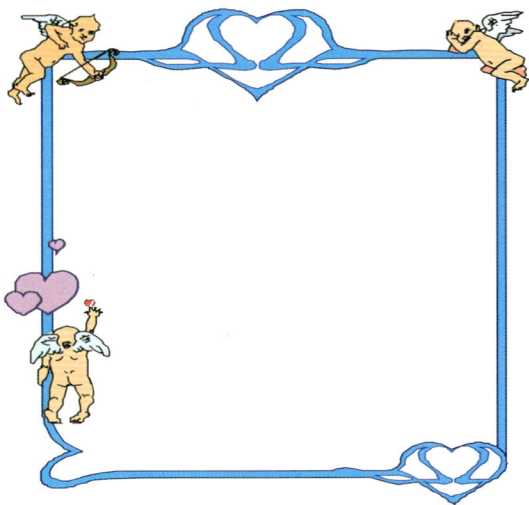

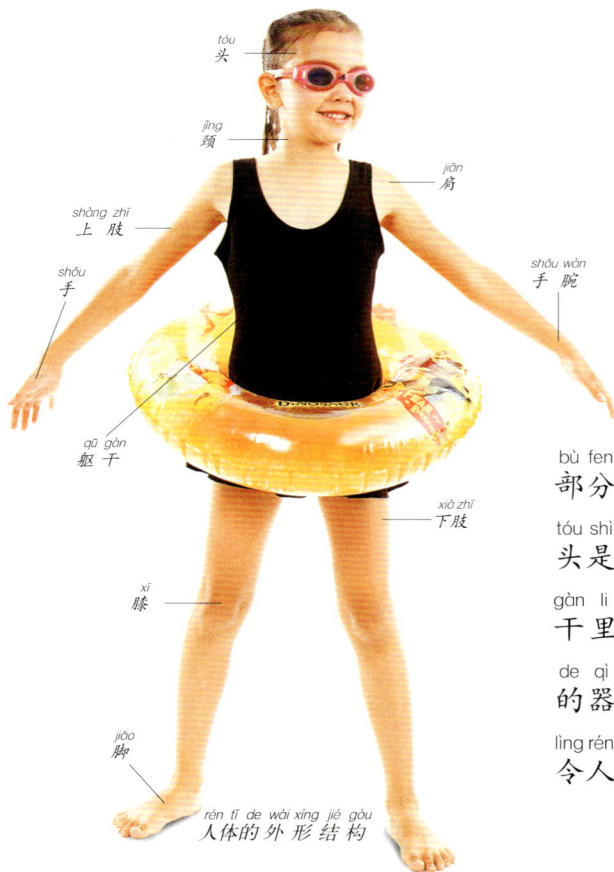

tóu
头

jǐng
颈

jiān
肩

shàng zhī
上肢

shǒu
手

shǒu wàn
手腕

qū gàn
躯干

xià zhī
下肢

xī
膝

jiǎo
脚

rén tǐ de wài xíng jié gòu
人体的外形结构

rén tǐ de wài xíng jié gòu
人体的外 形结构

rén tǐ de wài xíng jié gòu dōu shì yī yàng de dōu yóu
人体的外 形结构 都是一样的，都由

tóu jǐng qū gàn shàng zhī xià zhī zhè wǔ dà bù
头、颈、躯干、上肢、下肢这五大部

fen gòu chéng guān jié jiāng zhè wǔ
分构 成。关节将这五

bù fen lián jiē qǐ lái bù tóng de
部分连接起来。不同的

bù fen yǒu bù tóng de gōng néng hé yòng chù
部分有不同的功 能和用处。

tóu shì bǎo hù dà nǎo de qū
头是保护大脑的，躯

gàn li yǒu gè zhǒng zhòng yào
干里有各种重要

de qì guān shǒu jiǎo néng
的器官，手、脚能

lìng rén líng huó yùn dòng
令人灵活运动。

rén jīng guò màn cháng de jìn huà guò chéng xíng tǐ zhú jiàn biàn chéng xiàn zài zhè zhǒng yàng zi
人经过漫 长的进化过 程，形体逐渐变成现在这 种样子

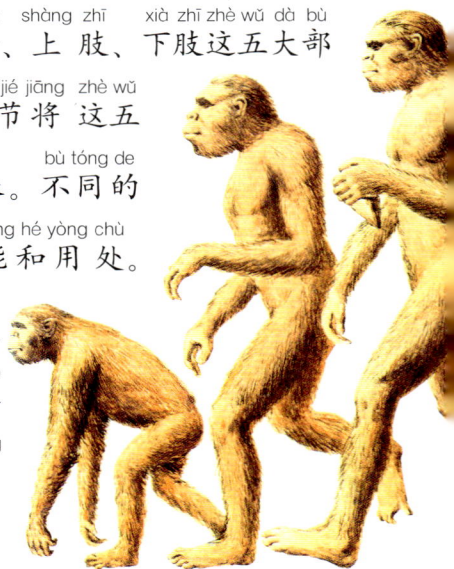

人体的内部
rén tǐ de nèi bù

头的内部是大脑以及各种 感觉器官的内在部分；在躯干里，有心、肺、食道、胃、肝、肠道、脾、生殖器官 等 重要人体器官。此外，体内还有遍布各处的骨骼、肌肉和血液。

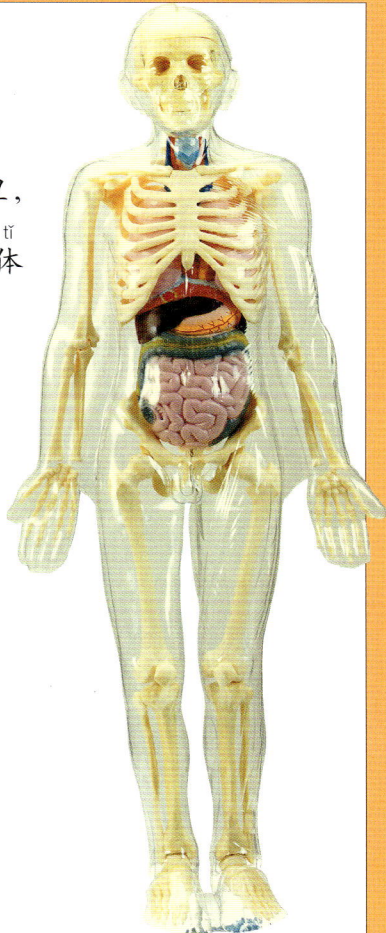

人体的内部
rén tǐ de nèi bù

体温是怎么回事
tǐ wēn shì zěn me huí shì

医生 为 小女孩 测体温。
yī shēng wèi xiǎo nǚ hái cè tǐ wēn

正 常 情 况 下，煤是不发热的，可是 用来烧锅炉时，煤就会变红，放出大量的热。人体就像一台大锅炉，体内的营 养物质就像 煤，它们 能 不断地分解燃烧，持续给人体提供热量，维持人的生 命。人体内的热量就是体温。

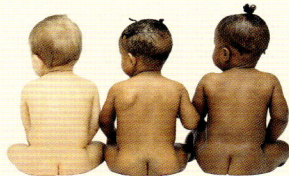

人为什么没有尾巴
rén wèi shén me méi yǒu wěi ba

人是 由 动 物进化来的，可是 人的尾巴到哪里去了呢？原来，在 由 动 物进化 到 人的过程 中，人的尾巴失去了原 有的平 衡 作用，便 慢 慢地退化了。

shǔ bù qīng de xì bāo
数不清的细胞

nǐ zhī dào ma
·你知道吗·

wǒ men de shēn tǐ shì yóu ròu yǎn kàn bù jiàn de xì bāo gòu chéng
我们的身体是由肉眼看不见的细胞构成

de nǐ zhī dào xì bāo yóu jǐ bù fen gòu chéng ma
的，你知道细胞由几部分构成吗？

èr bù fen　　　　sān bù fen　　　　sì bù fen
A. 二部分　　B. 三部分　　C. 四部分

nǐ de dá àn
你的答案（　）

rén tǐ de xì bāo
人体的细胞

yòu tú zhōng de shā rén shì yóu
右图中的沙人是由

xì shā lì zǔ chéng de xì shā lì
细沙粒组成的，细沙粒

jiù xiāng dāng yú rén tǐ nèi de xì
就相当于人体内的细

bāo gòu chéng yī gè rén tǐ xū yào
胞。构成一个人体需要

wàn yì gè xì bāo suī rán bù
500万亿个细胞。虽然不

tóng lèi xíng de xì bāo yǒu tā men zì
同类型的细胞有它们自

jǐ de xíng zhuàng dà xiǎo hé gōng
己的形状、大小和功

néng dàn suǒ yǒu xì bāo de jié gòu
能，但所有细胞的结构

jī běn shang shì xiāng tóng de
基本上是相同的。

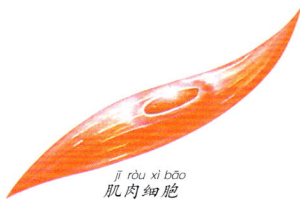

pí fū xì bāo
皮肤细胞

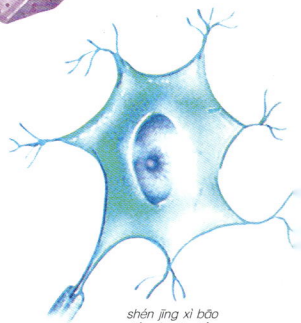

jī ròu xì bāo
肌肉细胞

shén jīng xì bāo
神经细胞

gān xì bāo
肝细胞

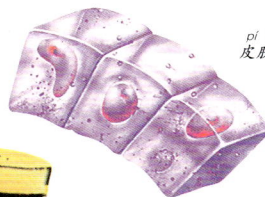

hóng xì bāo
红细胞

rén tǐ yóu bù tóng zhǒng lèi de xì bāo gòu chéng
人体由不同种类的细胞构成。

xì bāo de jié gòu
细胞的结构

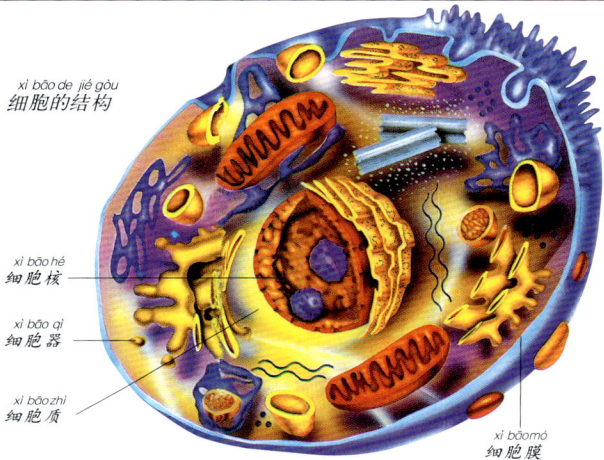

xì bāo de jié gòu
细胞的结构

xì bāo hé
细胞核

xì bāo qì
细胞器

xì bāo zhì
细胞质

xì bāomó
细胞膜

细胞的结构

huó zhe de xì bāo biǎo miàn yǒu yī céng hěn báo de xì
活着的细胞表面有一层很薄的细

bāo mó zài xì bāo mó de nèi bù yǒu yī gè hěn dà de jié gòu
胞膜，在细胞膜的内部有一个很大的结构

jiào zuò xì bāo hé tā shì xì bāo de kòng zhì zhōng xīn
叫作细胞核，它是细胞的控制中心，

hán yǒu wéi chí xì bāo shēng cún hé zhèng cháng gōng zuò suǒ
含有维持细胞生存和正常工作所

bì xū de xìn xī wèi yú xì bāo mó hé xì bāo hé zhī jiān de
必需的信息。位于细胞膜和细胞核之间的

jiāo zhuàng wù zhì jiào zuò xì bāo zhì xì bāo zhì zhōng piāo fú
胶状物质叫作细胞质，细胞质中漂浮

zhe gè zhǒng xì bāo qì
着各种细胞器。

xì bāo de xíng zhuàng
细胞的形状

rén tǐ nèi yǒu jǐ bǎi zhǒng bù tóng xíng zhuàng de xì bāo xì bāo de xíng
人体内有几百种不同形状的细胞。细胞的形

zhuàng hé dà xiǎo yǔ tā men de gōng néng yǒu guān lì rú shén jīng xì bāo
状和大小与它们的功能有关。例如，神经细胞

cháng ér qiě xì zài tǐ nèi gè bù fen zhī jiān chuán dì xìn xī kǒu qiāng nèi
长而且细，在体内各部分之间传递信息；口腔内

de xì bāo yuán ér qiě biǎn píng xiāng hù dié zài yī qǐ xíng chéng bǎo hù céng
的细胞圆而且扁平，相互叠在一起形成保护层。

yòng xiǎn wēi jìng kè yǐ guān chá dào xì bāo
用显微镜可以观察到细胞。

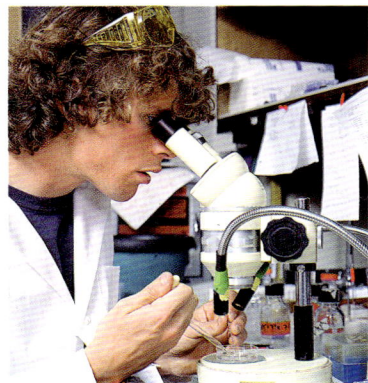

xì bāo fēn liè
细胞分裂

xì bāo de fēn shēn shù
细胞的分身术

xì bāo fēn shēn shí xiān jiāng xì bāo hé nèi de xìn xī fù zhì yī biàn rán hòu
细胞分身时，先将细胞核内的信息复制一遍，然后

xì bāo hé fēn liè chéng liǎng gè bù fen jiē zhe shì xì bāo zhì fēn liè zhè yàng yī
细胞核分裂成两个部分，接着是细胞质分裂。这样，一

gè xì bāo jiù biàn chéng le liǎng gè xì bāo rén tǐ nèi de xì bāo měi tiān dōu yào tōng
个细胞就变成了两个细胞。人体内的细胞每天都要通

guò fēn shēn shù lái zhì zào xīn de xì bāo yī bù fen yòng lái tì huàn jiù de sǔn huài
过分身术来制造新的细胞，一部分用来替换旧的、损坏

de xì bāo lìng yī bù fen zé yòng lái shǐ shēn tǐ shēng zhǎng
的细胞，另一部分则用来使身体生长。

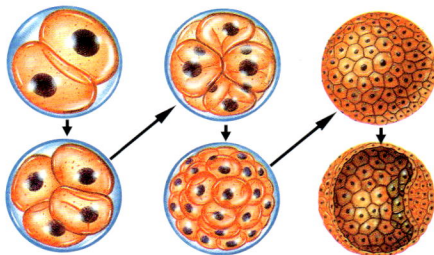

齐心协力的人体系统

你知道吗

我们能吃饭、学习、做游戏、睡觉等，都是我们身体里各种系统的功劳。你知道我们身体里的主要系统有多少个吗？

A. 5个　B. 8个　C. 11个　D. 13个

你的答案（　）

我来告诉你

细胞构成组织，组织联合起来构成器官，多个器官构成系统。人体内的主要系统有11个，它们分别是表皮、骨骼、肌肉、消化、循环、呼吸、泌尿、免疫、神经、内分泌和生殖系统。

组织

执行相同功能的细胞构成了组织。人体内基本的组织分为四类，它们是：使身体各部分进行运动的肌肉组织；在脑部和身体其他部分传递信息的神经组织；连接身体各部分的结缔组织，以及覆盖在体外和体内器官表面的上皮组织。

器官

不同的组织联合起来完成某项工作而形成的结构就是器官。眼、脑、心脏和肝脏等都是器官。心脏包含有上皮组织、神经组织和肌肉组织，这些组织由结缔组织维系在一起，推动血液在体内循环。

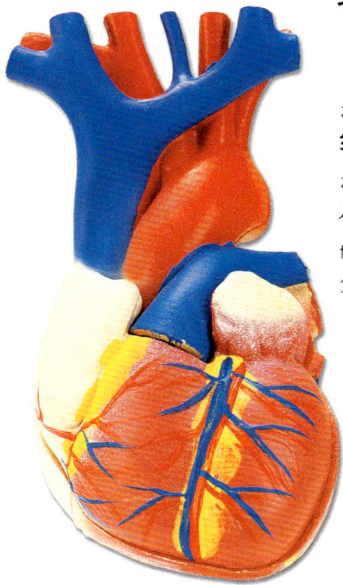

心脏是重要的人体器官，它由好几种组织组成。

人体系统
rén tǐ xì tǒng

单个器官通常不能单独工作，而是需要几个器官
dān gè qì guān tōng cháng bù néng dān dú gōng zuò　ér shì xū yào jǐ gè qì guān

作为一个系统来一起工作。能够共同完成一种或几
zuò wéi yī gè xì tǒng lái yī qǐ gōng zuò　néng gòu gòng tóng wán chéng yī zhǒng huò jǐ

种生理功能的多个器官构成了人体系统。
zhǒng shēng lǐ gōng néng de duō gè qì guān gòu chéng le rén tǐ xì tǒng

分工协作
fēn gōng xié zuò

人体像一个巨大的工厂，人体的各个系统就相当于
rén tǐ xiàng yī gè jù dà de gōng chǎng rén tǐ de gè gè xì tǒng jiù xiāng dāng yú

厂房里各个不同的工作部门，不同的系统间必须互相
chǎng fáng li gè gè bù tóng de gōng zuò bù mén　bù tóng de xì tǒng jiān bì xū hù xiāng

协作，才能顺利地完成某项生理活动。例如，喝水时，
xié zuò　cái néng shùn lì de wán chéng mǒu xiàng shēng lǐ huó dòng　lì rú　hē shuǐ shí

神经系统得到这个信息，指挥肌肉系统和
shén jīng xì tǒng dé dào zhè ge xìn xī　zhǐ huī jī ròu xì tǒng hé

骨骼系统将水端起来喝到
gǔ gé xì tǒng jiāng shuǐ duān qǐ lái hē dào

嘴里，消化系统才能将水
zuǐ li　xiāo huà xì tǒng cái néng jiāng shuǐ

吸收到
xī shōu dào

身体里。
shēn tǐ li

系统分工协作使
xì tǒng fēn gōng xié zuò shǐ
我们能够玩耍。
wǒ men néng gòu wán shuǎ

头骨 tóu gǔ

脑 nǎo

脊椎 jǐ zhuī

肋骨 lèi gǔ

心脏 xīn zàng

胸大肌 xiōng dà jī

动脉 dòng mài

腹直肌 fù zhí jī

髋骨 kuān gǔ

静脉 jìng mài

嘴 zuǐ

脊髓 jǐ suǐ

胃 wèi

大肠 dà cháng

小肠 xiǎo cháng

神经 shén jīng

人体系统 rén tǐ xì tǒng

消化系统 xiāo huà xì tǒng

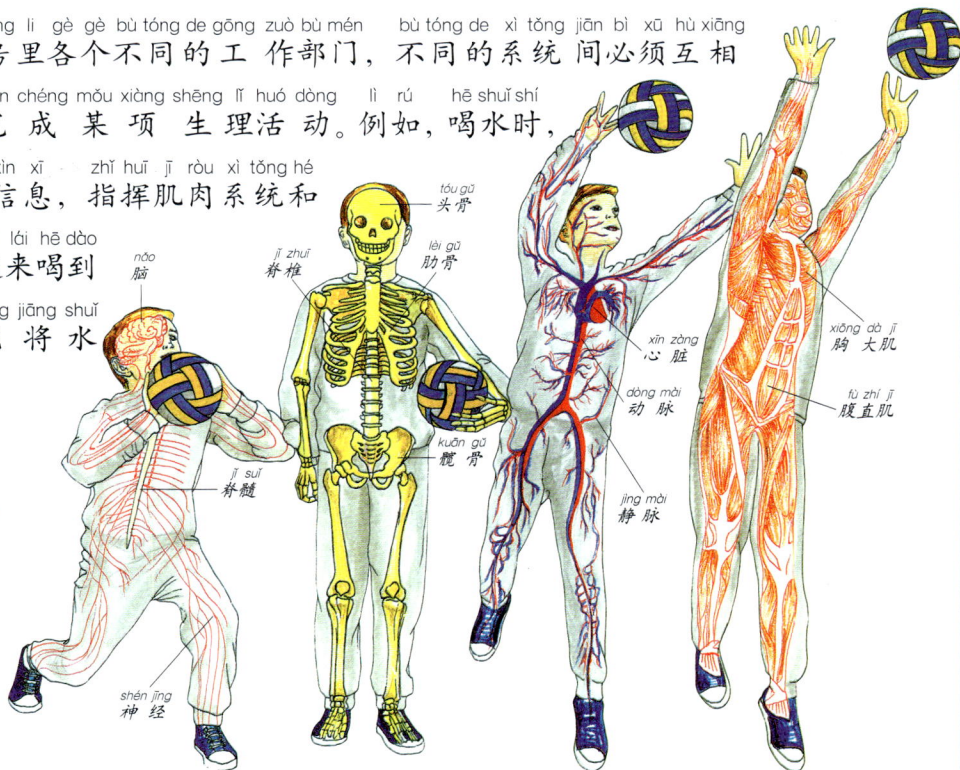

神经系统 shén jīng xì tǒng

骨骼系统 gǔ gé xì tǒng

循环系统 xún huán xì tǒng

肌肉系统 jī ròu xì tǒng

人体的外衣——皮肤
rén tǐ de wài yī　　pí fū

动手做
dòng shǒu zuò

从杂志或报纸中找出不同肤
cóng zá zhì huò bào zhǐ zhōng zhǎo chū bù tóng fū

色的人的照片，并把照片上人的脸
sè de rén de zhào piàn bìng bǎ zhào piàn shang rén de liǎn

部剪下来，按照你喜欢的样子粘到画
bù jiǎn xià lái àn zhào nǐ xǐ huan de yàng zi zhān dào huà

板上。瞧！一幅漂亮的多彩拼贴画就
bǎn shang qiáo yì fú piào liang de duō cǎi pīn tiē huà jiù

完成了！
wán chéng le

认识皮肤
rèn shi pí fū

皮肤长在身体的表层，
pí fū zhǎng zài shēn tǐ de biǎo céng

把人体内的液体和其他物质包
bǎ rén tǐ nèi de yè tǐ hé qí tā wù zhì bāo

在里面，能够阻止有害病菌的
zài lǐ miàn néng gòu zǔ zhǐ yǒu hài bìng jūn de

入侵，减缓水分丧失，保护
rù qīn jiǎn huǎn shuǐ fēn sàng shī bǎo hù

人体免受日晒的伤害。皮肤
rén tǐ miǎn shòu rì shài de shāng hài pí fū

可分成两层结构，上层叫
kě fēn chéng liǎng céng jié gòu shàng céng jiào

表皮，下层叫真皮。
biǎo pí xià céng jiào zhēn pí

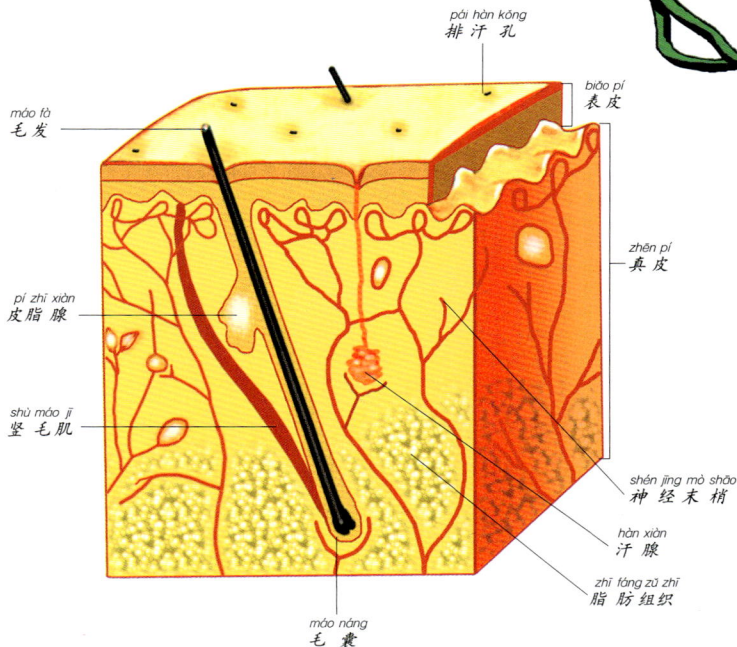

排汗孔 pái hàn kǒng
表皮 biǎo pí
毛发 máo fà
真皮 zhēn pí
皮脂腺 pí zhī xiàn
竖毛肌 shù máo jī
神经末梢 shén jīng mò shāo
汗腺 hàn xiàn
脂肪组织 zhī fáng zǔ zhī
毛囊 máo náng

皮肤剖面图
pí fū pōu miàn tú

rén yǒu bù tóng de fū sè
人有不同的肤色。

pí fū de yán sè
皮肤的 颜色

rén de pí fū li yǒu yī zhǒng jiào zuò hēi sè sù de
人的皮肤里有一种 叫作黑色素的

dōng xi   tā jué dìng le pí fū de yán sè   hēi rén de pí
东西，它决定了皮肤的颜色。黑人的皮

fū nèi hán yǒu dà liàng de hēi sè sù   bái rén de pí fū
肤内 含 有大量的黑色素。白人的皮肤

li hán yǒu de hēi sè sù fēi cháng shǎo   shèn zhì méi yǒu
里含有的黑色素非常 少，甚至没有。

huáng sè rén zhǒng de pí fū zhōng hán yǒu de hēi sè sù
黄色人 种的皮肤中 含 有的黑色素

bǐ bái rén de duō   bǐ hēi rén de shǎo
比白人的多，比黑人的少。

rén wèi shén me yào jīng cháng xǐ zǎo
人为什么要经 常 洗澡

wǒ men de pí fū jīng cháng yào pái chū hàn hé yóu zhī
我们的皮肤经 常 要排出汗和油脂。

shí jiān yī cháng hàn hé yóu zhī jiù yuè jī yuè duō jiāng
时间一长，汗和油脂就越积越多，将

huī chén xì jūn hé pí xiè zhān dào pí fū shang shǐ
灰尘、细菌和皮屑 粘 到皮肤上，使

pí fū yǎng yǎng de lìng wài xì jūn yě huì
皮肤痒 痒的。另外，细菌也会

shǐ pí fū zhǎng jiē zi shēng chuāng děng
使皮肤长 疖子、生 疮 等，

suǒ yǐ wǒ men yào jīng cháng xǐ zǎo
所以我们 要经 常 洗澡。

rén lǎo le huì zhǎng zhòu wén
人老了会 长 皱纹。

rén lǎo le wèi shén me huì yǒu zhòu wén
人老了为 什 么会有 皱 纹

rén nián qīng de shí hou   pí fū xià miàn de zhī fáng hé qí tā zǔ
人年 轻的时候，皮肤下 面的脂 肪和其他组

zhī bǎ pí fū dǐ xià tián de mǎn mǎn de   suǒ yǐ pí fū kàn shàng qù yòu
织把皮肤底下填得满 满的，所以皮肤看 上去又

guāng huá yòu píng tǎn   dāng rén lǎo le yǐ hòu   pí xià zhī fáng jiǎn shǎo
光 滑又平坦。当人老了以后，皮下脂肪减 少，

pí xià qí tā zǔ zhī wěi suō   pí fū shang jiù chū xiàn le xǔ duō zhòu wén
皮下其他组织萎缩，皮肤上 就出 现了许多皱 纹。

不断 生 长 的毛发
bù duàn shēng zhǎng de máo fà

·你知道吗·
nǐ zhī dào ma

年纪轻的人为 什么也会出 现白头发？
nián jì qīng de rén wèi shén me yě huì chū xiàn bái tóu fa

A. 因为他经 常 洗头发
yīn wèi tā jīng cháng xǐ tóu fa

B. 头发里缺 少 让头发长 成 黑色的东西
tóu fa lǐ quē shǎo ràng tóu fa zhǎng chéng hēi sè de dōng xi

你的答案 （ ）
nǐ de dá àn

我来告诉你
wǒ lái gào su nǐ

头发的颜色是 由色素细胞分泌的色素 颜色决定
tóu fa de yán sè shì yóu sè sù xì bāo fēn mì de sè sù yán sè jué dìng

的,如果 由于种 种 原 因破 坏了色素细胞分泌
de rú guǒ yóu yú zhǒng zhǒng yuán yīn pò huài le sè sù xì bāo fēn mì

黑色素的 能 力,就会 出 现 黑发变 白发的情形。
hēi sè sù de néng lì jiù huì chū xiàn hēi fà biàn bái fà de qíngxíng

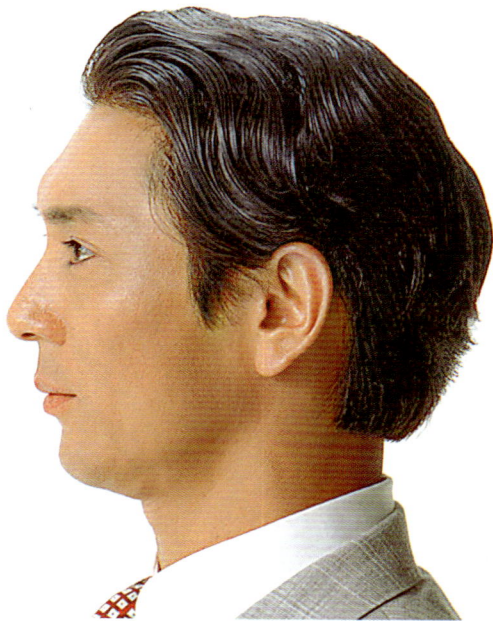
年轻人也会 生 白头发。
nián qīng rén yě huì shēng bái tóu fa

遍体毛发
biàn tǐ máo fà

我们的皮肤表 面 长 着数不
wǒ men de pí fū biǎo miàn zhǎng zhe shǔ bù

清的毛发, 有的毛很细很 短, 有
qīng de máo fà yǒu de máo hěn xì hěn duǎn yǒu

的毛 又粗又 长。人体的毛
de máo yòu cū yòu cháng rén tǐ de máo

发一般分为三类: 一类叫汗
fà yī bān fēn wéi sān lèi yī lèi jiào hàn

毛, 汗毛的数 量很多; 一
máo hàn máo de shù liàng hěn duō yī

类叫 短 毛,如眉毛、鼻毛 等;
lèi jiào duǎn máo rú méi mao bí máo děng

一类叫 长 毛,包括头发、胡须等。
yī lèi jiào cháng máo bāo kuò tóu fa hú xū děng

人的头发会 长 得很 长。
rén de tóu fa huì zhǎng de hěn cháng

显微镜下看毛发
xiǎn wēi jìng xià kàn máo fà

毛发是由一种结实而且具有防水性质的角质蛋白细胞构成的。它们从皮肤中称为毛囊的小孔中长出，分为毛干和毛根两部分，除了毛根部的细胞是活着的外，其他的细胞都是死细胞，所以，我们在理发的时候不会感到疼。

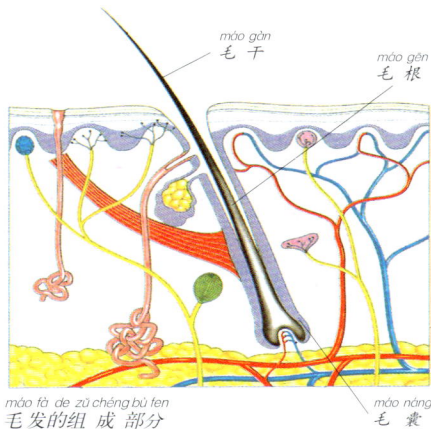

毛干 máo gàn
毛根 máo gēn
毛发的组成部分 máo fà de zǔ chéng bù fen
毛囊 máo náng

头发的用处可多啦！tóu fa de yòng chù kě duō la

人的头发有什么用
rén de tóu fa yǒu shén me yòng

头发的用处可多啦！它能保暖，遮挡风寒；厚厚的头发有一定的弹性和韧性，可以对头部起到保护作用，减轻外界的伤害；另外，头发还有装扮容貌的作用呢，人们将头发梳成各种各样的发型，可使自己变得更漂亮。

为什么头发长而眉毛短
wèi shén me tóu fa cháng ér méi mao duǎn

头发大约每天长0.3毫米，3～4年中可长到50～60厘米长，然后脱落，再长出新的头发。眉毛不仅没有头发长得快，而且只长2个月，经过8个月后旧眉脱落，新眉重新长出来。所以，人们的头发长而眉毛短。

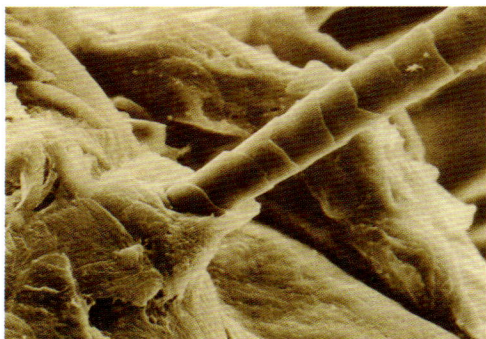

毛发正在生长。máo fà zhèng zài shēng zhǎng

zhǐ jia hé zhǐ wén
指甲和指纹

dòng shǒu zuò
·动 手 做·

zhǔn bèi yī hé yìn ní yòng shǒu zhǐ jiān zhàn shàng
准备一盒印泥,用 手指尖 蘸 上

yìn ní   rán hòu àn zài huà bǎn shang nǐ biàn kě yǐ kàn
印泥, 然后按在画板 上, 你便可以看

dào zì jǐ de zhǐ wén le   àn zhào nǐ xǐ huan de tú àn
到自己的指 纹了。按照你喜欢的图案,

yòng zhǐ wén zuò yī fú piào liang de zhǐ wén huà ba
用 指纹 作一幅漂 亮 的指纹 画吧!

yìng yìng de zhǐ jia
硬 硬的指甲

zhǐ jia shì yóu yī
指甲是由一

zhǒng yìng jiǎo zhì dàn bái
种 硬 角质蛋白

gòu chéng de   zhǐ yào yǒu
构 成 的,只要有

xīn de yìng jiǎo zhì dàn bái
新 的硬 角质蛋白

chǎn shēng jiù huì bǎ zhǐ jia xiàng wài
产 生,就会把指甲向 外

jiǎ chuáng
甲 床

zhǐ jia piàn
指甲片

zhǐ jia gēn
指甲根

gǔ
骨

zhǐ jia de gòu zào
指甲的构 造

tuī suǒ yǐ zhǐ jia huì bù tíng de shēng zhǎng zhǐ jia yī gè yuè néng
推, 所以指甲会不停地生 长。指甲一个月 能

zhǎng háo mǐ zuǒ yòu   yóu yú zhǐ jia shang méi yǒu shén jīng xì
长3毫米左右。由于指甲上 没有 神经细

bāo   suǒ yǐ wǒ men jiǎn zhǐ jia shí bù huì gǎn dào téng tòng
胞, 所以我们 剪指甲 时不会感 到 疼 痛。

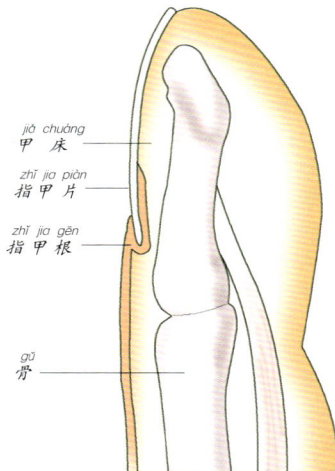

shǒu zhǐ jia
手 指甲

形态各异的指纹

看看手指尖，你会看到很多细小的纹线和脊状线，这些线构成了形态各异的指纹。

指纹有涡形（像半螺旋形）、弓形和环形三种。世界上任何两个人的指纹都是不同的，同一个人各个指头上的指纹也是不同的。

弓形

涡形

环形

不同形状的指纹

指甲和指纹的用途

硬硬的指甲不仅可以保护指尖，而且在它和指纹的共同作用下，我们能够灵活地取放物体。此外，警察还可利用每个人的指纹各不相同的特性，根据罪犯留下的指纹进行调查，识别罪犯。

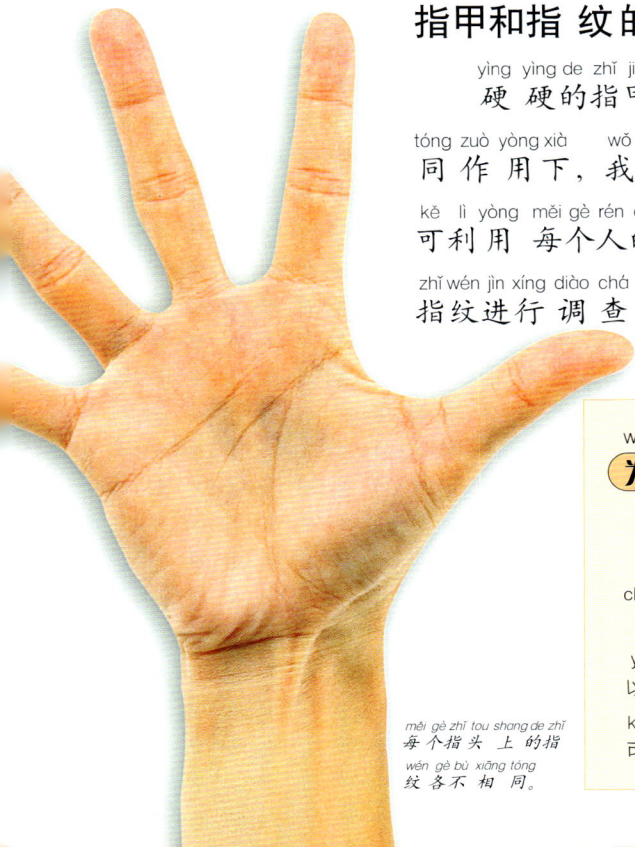
每个指头上的指纹各不相同。

为什么每个人的指纹都不一样

每个人的指纹在妈妈肚子里时就已经形成了，由于每个胎儿的遗传基因不一样，所以，每个人的指纹也就不一样。指纹的类型是可以遗传的，兄弟姐妹之间的指纹比较接近。

quán shēn de zhǔ yào gǔ gé
全 身 的主要骨骼

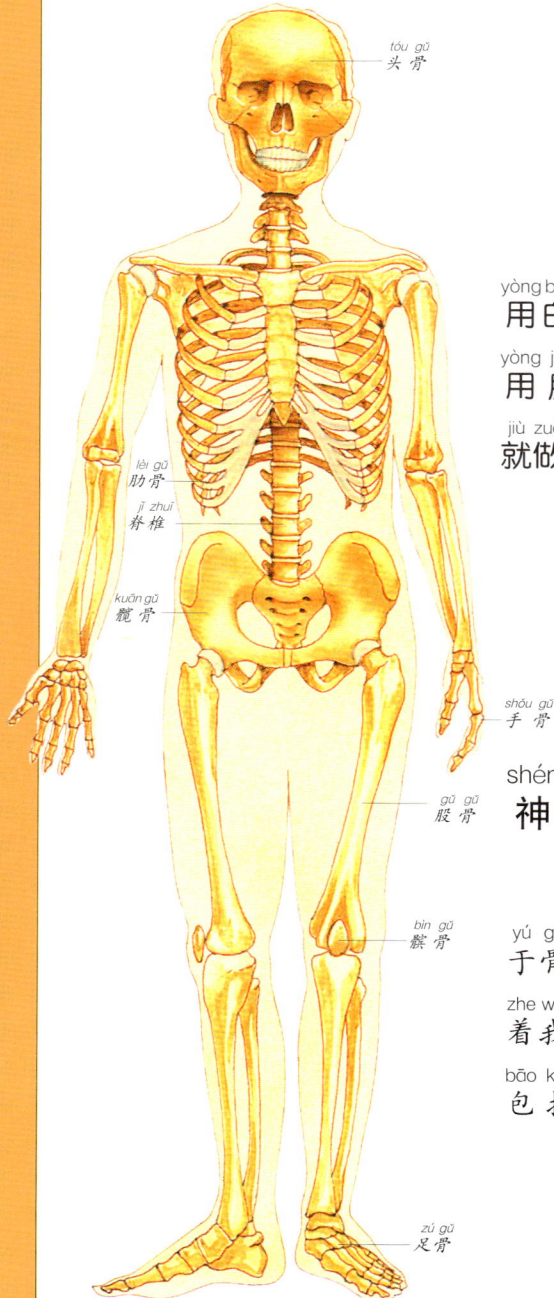

tóu gǔ
头骨

léi gǔ
肋骨

jǐ zhuī
脊椎

kuān gǔ
髋骨

shǒu gǔ
手骨

gǔ gǔ
股骨

bìn gǔ
髌骨

zú gǔ
足骨

wǒ men shēn tǐ de zhī jià　　　gǔ gé

我们 身体的支架——骨骼

dòng shǒu zuò
·动 手 做·

yòng qiān bǐ zài zhǐ shang huà chū gǔ jià de cǎo tú　kě cān kǎo zuǒ tú
用 铅笔在纸 上 画 出骨架的草图（可参 考 左图），

yòng bái sè kǎ piàn　xī guǎn hé sù liào bǎn jiǎn chéng yī kuài kuài gǔ gé de xíng zhuàng
用白色卡片、吸管 和 塑料板剪 成 一块 块骨骼的形 状，

yòng jiāo bàng bǎ　　gǔ gé　　　yī kuài kuài zhān dào hēi sè chèn zhǐ shang　gǔ jià rén
用 胶 棒把"骨骼"一块 块 粘 到黑色衬纸 上，骨架人

jiù zuò chéng le　　rán hòu bǎ nǐ zuò de gǔ jià rén zhān dào huà bǎn shang
就做 成 了，然后把你做的骨架人粘 到画板 上。

shén qí de gǔ gé
神奇的骨骼

rén wèi shén me huì zhàn　wèi shén me huì dòng　zhè quán dōu yào guī gōng
人为 什 么会站？为 什 么会动？这全 都要归 功

yú gǔ gé　　gǔ gé jiù xiàng jiàn zhù wù de kuàng jià　tā men hěn jiān gù　zhī chēng
于骨骼。骨骼就 像 建 筑物的框 架，它们很坚固，支撑

zhe wǒ men de shēn tǐ　zhèng cháng de chéng nián rén gòng yǒu　kuài gǔ tou
着我们的身 体。正 常的成 年人共有206块骨头，

bāo kuò tóu lú gǔ　　qū gàn gǔ　shàng zhī gǔ yǐ jí xià zhī gǔ děng
包括头颅骨、躯干骨、上 肢骨以及下肢骨等。

dà tuǐ gǔ
大 腿 骨

gǔ tou de héng qiè miàn tú
骨头的横切面图

gǔ sōng zhì
骨松质

gǔ mì zhì
骨密质

gǔ tou de nèi bù
骨头的内部

gǔ tou yóu gài hé dàn bái zhì zǔ chéng　tā de wài céng shì gǔ mó　zhōng
骨头由钙和蛋白质组成。它的外层是骨膜，中

jiān yì céng shì jiān yìng de gǔ mì zhì　nèi céng shì jiào qīng de gǔ sōng zhì
间一层是坚硬的骨密质，内层是较轻的骨松质。

yǒu yì xiē gǔ tou de zhōng kōng nèi bù hán yǒu zào xuè de mǔ xì bāo　kě yǐ
有一些骨头的中空内部含有造血的母细胞，可以

shēng chǎn zhì zào xuè yè zhōng de gè zhǒng xuè xì bāo　zhěng gè
生产制造血液中的各种血细胞，整个

gǔ tou nèi bù zào xuè de jié gòu jiào zuò gǔ suǐ
骨头内部造血的结构叫作骨髓。

wèi shén me chéng rén de gǔ gé bǐ yīng ér de shǎo
为什么成人的骨骼比婴儿的少

yīng ér gāng shēng xià lái de shí hou yǒu　　kuài gǔ tou　suí zhe yīng ér de chéng
婴儿刚生下来的时候有300块骨头。随着婴儿的成

zhǎng　yì xiē hěn xiǎo de gǔ tou jiàn jiàn zhǎng dào yī qǐ qù le　　dào le chéng rén de shí
长，一些很小的骨头渐渐长到一起去了，到了成人的时

hou　　tǐ nèi jiù zhǐ yǒu　　kuài gǔ tou le
候，体内就只有206块骨头了。

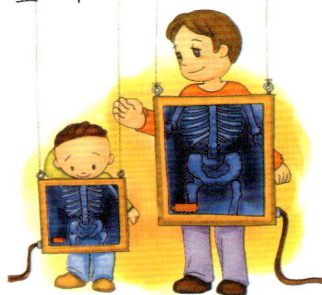

xiǎo hái zi de gǔ tou bǐ dà rén de duō
小孩子的骨头比大人的多。

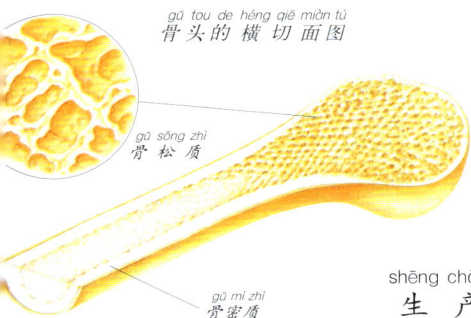

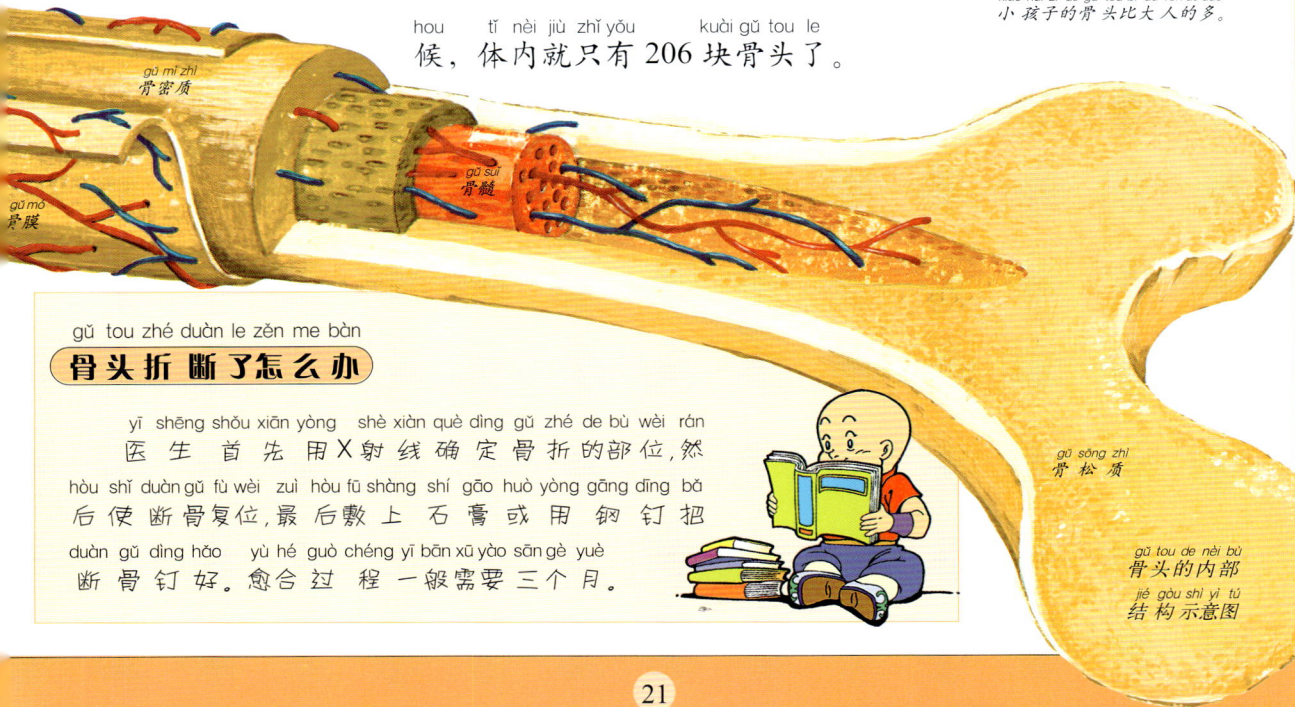

gǔ mì zhì
骨密质

gǔ suǐ
骨髓

gǔ mó
骨膜

gǔ tou zhé duàn le zěn me bàn
骨头折断了怎么办

yī shēng shǒu xiān yòng　shè xiàn què dìng gǔ zhé de bù wèi rán
医生首先用X射线确定骨折的部位，然

hòu shǐ duàn gǔ fù wèi zuì hòu fū shàng shí gāo huò yòng gāng dīng bǎ
后使断骨复位，最后敷上石膏或用钢钉把

duàn gǔ dìng hǎo　yù hé guò chéng yī bān xū yào sān gè yuè
断骨钉好。愈合过程一般需要三个月。

gǔ sōng zhì
骨松质

gǔ tou de nèi bù
骨头的内部
jié gòu shì yì tú
结构示意图

huó dòng de guān jié
活 动 的 关 节

dòng shǒu zuò
· 动 手 做 ·

shēn tǐ shang néng wān qū de bù fen dōu zhǎng yǒu guān
身体上 能 弯曲的部分都 长 有关

jié xiān zài huà bǎn shang huà chū nǐ de yī zhī shǒu rán hòu
节。先 在 画 板 上 画 出你的一只手，然后

kàn kan nǐ de shǒu shang nǎ xiē dì fang néng wān qū bìng jiāng
看 看你的手 上 哪些地方 能 弯曲，并 将

zhè xiē dì fang zài tú zhōng de shǒu shang quān chū lái shǔ yī shǔ
这些地方在图 中的手 上 圈 出来。数一数，

nǐ de shǒu shang yī gòng yǒu duō shǎo gè guān jié
你的手 上 一 共 有 多 少 个 关节？

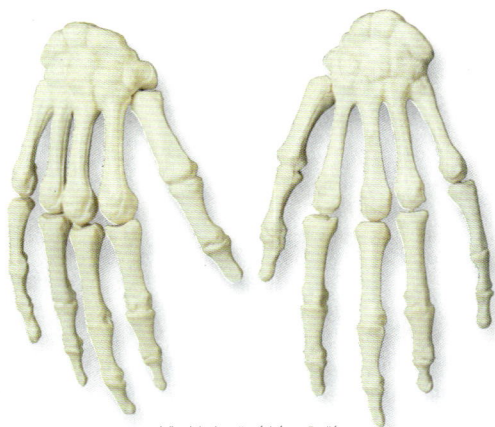

shǒu bù de gǔ gé hé guān jié
手 部的骨骼和 关 节

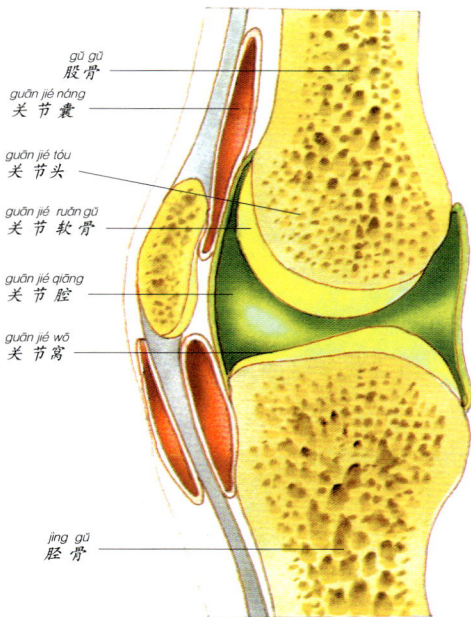

gǔ gǔ
股骨

guān jié náng
关 节 囊

guān jié tóu
关 节 头

guān jié ruǎn gǔ
关 节 软 骨

guān jié qiāng
关 节 腔

guān jié wō
关 节 窝

jìng gǔ
胫 骨

guān jié pōu miàn jié gòu tú
关 节 剖 面结 构图

guān jié de jié gòu
关 节 的结构

guān jié shì liǎng kuài huò liǎng kuài yǐ shàng gǔ gé xiāng lián de bù fen
关 节 是 两 块 或 两 块 以 上 骨 骼 相 连 的 部分。

yī gè diǎn xíng de guān jié yī bān yóu guān jié miàn guān jié náng hé guān jié
一个 典 型的关 节 一 般 由 关 节 面、关 节 囊 和 关 节

qiāng sān gè bù fen zǔ chéng qí zhōng guān jié miàn yòu kě fēn wéi guān jié
腔 三 个 部分 组 成。其 中 关 节 面 又 可 分 为 关 节

tóu hé guān jié wō guān jié náng shì fù zhuó zài guān jié miàn sì zhōu de jié
头 和 关 节 窝；关 节 囊 是 附 着 在 关 节 面 四 周 的 结

dì zǔ zhī guān jié qiāng shì guān jié náng yǔ guān jié miàn zhī jiān de qiāng
缔 组 织；关 节 腔 是 关 节 囊 与 关 节 面 之 间 的 腔。

guān jié de gōng néng
关节的功能

　　rén de gǔ gé dōu shì yī kuài kuài de　　tā men yào chéng
　　人的骨骼都是一块块的，它们要成

wéi rén tǐ de zhī jià　　jiù xū yào yī kào guān jié jiāng tā men lián
为人体的支架，就需要依靠关节将它们连

qǐ lái　　měi yī gè guān jié dōu yǒu qí tè dìng de zuò yòng　　yǒu de kě yǐ qū hé
起来。每一个关节都有其特定的作用，有的可以屈和

shēn　　yǒu de kě yǐ wài zhǎn hé nèi shōu　　yǒu de kě yǐ nèi xuán hé wài xuán　　hái
伸，有的可以外展和内收，有的可以内旋和外旋，还

yǒu de kě yǐ jìn xíng huán rào yùn dòng
有的可以进行环绕运动。

guān jié kě yǐ shǐ rén zuò
关节可以使人做

shōu zhǎn dòng zuò
收展动作。

guān jié de lèi xíng
关节的类型

　　guān jié de lèi xíng hěn duō　　gēn
　　关节的类型很多，根

jù guān jié miàn de xíng tài　　wǒ men kě yǐ jiāng guān jié fēn wéi
据关节面的形态，我们可以将关节分为

liǎng zhǒng zhǔ yào lèi xíng　　xiàng zhǒu bù　　xī bù zhè xiē zhǐ néng qián
两种主要类型：像肘部、膝部这些只能前

hòu bǎi dòng de guān jié shì qū xū guān jié　　wàn bù　　jiān bù　　kuān bù
后摆动的关节是屈戌关节；腕部、肩部、髋部

zhè xiē guān jié shì qiú wō guān jié　　tā men kě yǐ qián
这些关节是球窝关节，它们可以前

hòu　　zuǒ yòu yí dòng　　yǒu shí hái kě yǐ xuán zhuǎn
后、左右移动，有时还可以旋转。

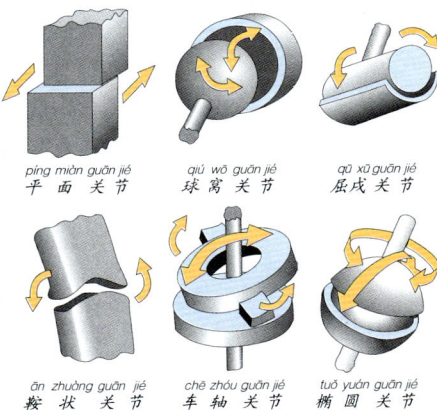

píng miàn guān jié
平面关节

qiú wō guān jié
球窝关节

qū xū guān jié
屈戌关节

ān zhuàng guān jié
鞍状关节

chē zhóu guān jié
车轴关节

tuǒ yuán guān jié
椭圆关节

gè lèi guān jié shì yì tú
各类关节示意图

guān jié ruǎn gǔ
关节软骨

　　guān jié zhī suǒ yǐ néng gòu zhuàn dòng zì rú　　shì yīn wèi zài xiāng hù jiē chù de guān
　　关节之所以能够转动自如，是因为在相互接触的关

jié miàn shang yǒu yì céng ruǎn gǔ　　ruǎn gǔ biǎo miàn guāng huá shī rùn　　zhuàn dòng shí mó
节面上有一层软骨，软骨表面光滑湿润，转动时摩

cā zǔ lì hěn xiǎo　　chú cǐ zhī wài　　guān jié ruǎn gǔ hái jù yǒu tán xìng　　néng dà dà jiǎn xiǎo
擦阻力很小。除此之外，关节软骨还具有弹性，能大大减小

jù liè yùn dòng shí chǎn shēng de zhèn dàng chōng jī lì
剧烈运动时产生的震荡冲击力。

guān jié néng shǐ rén de shēn tǐ wān qū
关节能使人的身体弯曲。

23

整 天 工 作 的 肌 肉
zhěng tiān gōng zuò de jī ròu

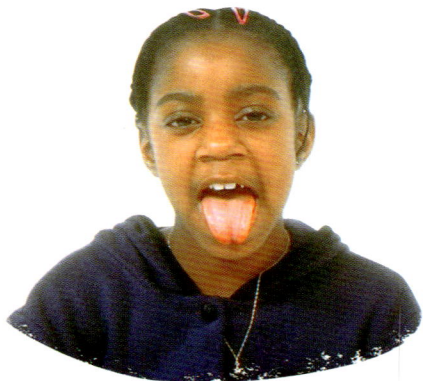

shé tou shang de jī ròu zuì líng huó
舌头上的肌肉最灵活。

你知道吗
nǐ zhī dào ma

zài wǒ men de shēn tǐ li dào chù dōu yǒu jī ròu bāo kuò
在我们的身体里，到处都有肌肉，包括

wǒ men kě yǐ niē de dào de gē bo hé tuǐ bù de jī
我们可以捏得到的胳膊和腿部的肌

ròu yě bāo kuò wǒ men shēn tǐ nèi bù qì guān shang
肉，也包括我们身体内部器官上

de jī ròu nǐ zhī dào wǒ men shēn tǐ li de nǎ kuài
的肌肉。你知道我们身体里的哪块

jī ròu zuì líng huó ma
肌肉最灵活吗？

shǒu shang de jī ròu
A. 手上的肌肉

tuǐ shang de jī ròu
B. 腿上的肌肉

xīn zàng shang de jī ròu
C. 心脏上的肌肉

shé tou shang de jī ròu
D. 舌头上的肌肉

nǐ de dá àn
你的答案（ ）

miàn jiá jī
面颊肌

sān jiǎo jī
三角肌

gōng èr tóu jī
肱二头肌

gǔ sì tóu jī
股四头肌

jìng qián jī
胫前肌

rén tǐ de zhǔ yào jī ròu
人体的主要肌肉

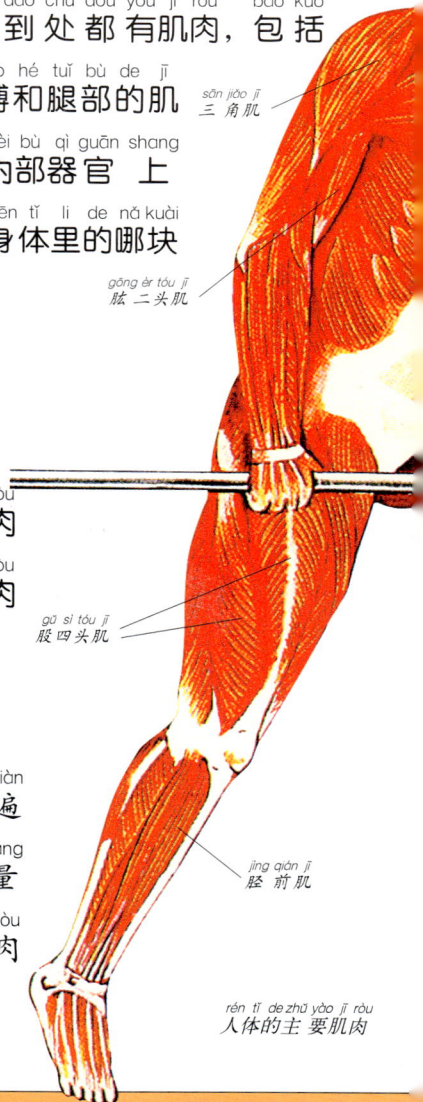

我来告诉你
wǒ lái gào su nǐ

zài wǒ men shēn shang de suǒ yǒu jī ròu
在我们身上的所有肌肉

zhōng shǔ shé tou shang de jī ròu zuì líng huó
中，属舌头上的肌肉最灵活。

bù xìn nǐ xiàn zài jiù dòng dòng nǐ de jī ròu
不信，你现在就动动你的肌肉，

kàn kan nǎ kuài jī ròu bǐ shé tou hái líng huó
看看哪块肌肉比舌头还灵活。

人体的肌肉
rén tǐ de jī ròu

jī ròu bāo zài pí fū lǐ miàn tā men de dà xiǎo bù tóng xíng zhuàng gè yì biàn
肌肉包在皮肤里面，它们的大小不同，形状各异，遍

bù rén de quán shēn rén tǐ yuē yǒu kuài gǔ gé jī tā men zhàn rén tǐ zhòng liàng
布人的全身。人体约有640块骨骼肌，它们占人体重量

de zuǒ yòu zuì dà de jī ròu shì dà tuǐ shàng bù de tún dà jī zuì xiǎo de jī ròu
的2/5左右。最大的肌肉是大腿上部的臀大肌，最小的肌肉

wèi yú ěr duo nèi bù
位于耳朵内部。

肌肉的运动
jī ròu de yùn dòng

肌肉常常成对地工作，一块将骨骼拉向一方，另一块又将骨骼向相反的方向拉回，使肢体产生运动。如在臂部，肱二头肌收缩并变短，以使手臂在肘部弯曲；肱三头肌收缩则使手臂伸直。

jī ròu de yùn dòng
肌肉的运动

gōng èr tóu jī shōu suō
肱二头肌收缩

gōng sān tóu jī shū zhāng
肱三头肌舒张

gōng èr tóu jī shū zhāng
肱二头肌舒张

gōng sān tóu jī shōu suō
肱三头肌收缩

gǔ gé jī
骨骼肌

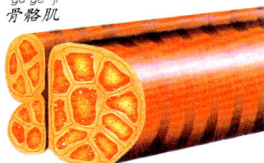

各种各样的肌肉
gè zhǒng gè yàng de jī ròu

肌肉主要分成三类，一类是位于骨骼上且呈条状的骨骼肌，它可以使身体的各个部位移动；一类是位于内脏器官上的平滑肌，它可以帮助我们消化食物；另一类则是位于心脏上的心肌，它可以使心脏正常地工作。

xīn jī
心肌

píng huá jī
平滑肌

gè lèi jī ròu de nèi bù jié gòu
各类肌肉的内部结构

结实的腱
jiē shi de jiàn

肌肉的末端逐渐变细，最后变成细细的绳子状的腱。腱将骨骼与肌肉结结实实地连在一起，肌肉通过腱拉动骨骼，使肢体产生运动。腱具有轻微的弹性，可保护肌肉免受过大的拉力。

xiǎo tuǐ jī ròu
小腿肌肉

gēn jiàn
跟腱

gēn gǔ
跟骨

wèi yú jiǎo bù de jiàn
位于脚部的腱

xiōng dà jī
胸大肌

wǒ men lái zuò yùn dòng
我们来做运动

dòng shǒu zuò
·动手做·

nǐ huì zuò ma
你会做吗?

bǎ zuǒ shǒu fàng dào tóu shang yòu shǒu fàng dào xī gài shang liǎng shǒu tóng shí zuò pāi
把左手放到头上，右手放到膝盖上，两手同时做拍

tóu róu xī gài de dòng zuò nǐ néng zuò dào ma qí shí kāi shǐ zuò zhè ge dòng zuò
头、揉膝盖的动作，你能做到吗? 其实，开始做这个动作

de shí hou hěn nán huì shǐ nǐ xiǎn de yǒu xiē bèn dàn shì dà nǎo hěn kuài jiù huì
的时候很难，会使你显得有些笨。但是，大脑很快就会

xué huì rú hé kòng zhì jī ròu ràng nǐ líng huó de zuò zhè ge dòng zuò
学会如何控制肌肉，让你灵活地做这个动作。

yùn dòng shì zěn yàng chǎn shēng de
运动是怎样产生的

jī ròu gǔ gé hé guān jié qí xīn xié
肌肉、骨骼和关节齐心协

lì cái néng shǐ shēn tǐ yùn dòng qǐ lái jī
力才能使身体运动起来。肌

ròu shì yóu dà nǎo kòng zhì de dāng dà nǎo gào
肉是由大脑控制的，当大脑告

su jī ròu rú hé dòng shí jī ròu jiù huì
诉肌肉如何动时，肌肉就会

qiān lā tā suǒ fù zhuó de gǔ tou guān
牵拉它所附着的骨头，关

jié zài pèi hé gǔ tou chǎn shēng wān
节再配合骨头产生弯

qū xuán zhuǎn děng dòng zuò zhè
曲、旋转等动作，这

yàng shēn tǐ jiù àn zhào nǐ de yì yuàn
样，身体就按照你的意愿

chǎn shēng yùn dòng le
产生运动了。

huá hàn bīng shì yóu jī ròu gǔ gé hé guān jié
滑旱冰是由肌肉、骨骼和关节
gòng tóng pèi hé ér wán chéng de yùn dòng
共同配合而完成的运动。

róu ruǎn tǐ cāo
柔软体操

有趣的表情
yǒu qù de biǎo qíng

yǒu qù de biǎo qíng
有趣的表情

表情是由脸部的20多条小肌肉的运动产生的。当你微笑时，面颊上的肌肉会把嘴角向上拉；当你伤心时，下巴上的肌肉会把你的嘴角向下拉。只要这些肌肉稍稍一动，就会让你做出各种有趣的面部表情。

柔软体操
róu ruǎn tǐ cāo

柔软体操是一种不利用任何体育器械的身体运动方式，它通过尽量地伸展或弯曲胳膊、腿及身体的各个部位，达到增强身体柔软性和韧性的目的。经常做这种运动会减小你在运动时造成扭伤的可能性。

舞蹈
wǔ dǎo

对于舞蹈，你也许并不陌生。舞蹈不仅是一种全身的运动，还是一项艺术活动。跳舞时舞蹈者伴着优美、明快的音乐节奏，使身体各个部位协调运动，能让身体各个部位都得到不同程度的锻炼。

kǒu qiāng shì shí wù xiāo huà de dì yī zhàn
口腔是食物消化的第一站。

shí wù de lǚ chéng
食物的旅程

nǐ zhī dào ma
·你知道吗·

duì zhe jìng zi zhāng dà zuǐ ba　　nǐ huì kàn dào hóu lóng lǐ miàn zhǎng zhe
对着镜子张大嘴巴，你会看到喉咙里面长着

yī gè xiǎo shé tou　　nǐ zhī dào zhè ge xiǎo shé tou yǒu shén me yòng ma
一个"小舌头"，你知道这个"小舌头"有什么用吗？

xiāo huà xì tǒng shì zěn me huí shì
消化系统是怎么回事

xiāo huà xì tǒng shì rén tǐ zhōng néng
消化系统是人体中能

bāng zhù xiāo huà de gè gè qì guān de zǒng
帮助消化的各个器官的总

chēng tā bāo kuò yá chǐ shé tou tuò yè
称，它包括牙齿、舌头、唾液

xiàn shí dào wèi xiāo cháng dà cháng
腺、食道、胃、小肠、大肠、

gān zàng yí xiàn děng zài xiāo huà xì tǒng
肝脏、胰腺等。在消化系统

de xīn qín gōng zuò xià wǒ men de shēn tǐ dé dào
的辛勤工作下，我们的身体得到

le chōng zú de yíng yǎng
了充足的营养

wǒ lái gào su nǐ
我来告诉你

wǒ men chī dōng xi de
我们吃东西的

shí hou zhè ge xiǎo shé tou
时候，这个"小舌头"

huì tí qǐ lái bǎ zuǐ hé bí zi
会提起来，把嘴和鼻子

zhī jiān de tōng dào dǔ shàng
之间的通道堵上，

zhè yàng shí wù jiù bù huì
这样，食物就不会

qiāng dào bí zi li qù le
呛到鼻子里去了。

shí dào
食道

gān
肝

wèi
胃

xiāo cháng
小肠

dà cháng
大肠

xiāo huà xì tǒng
消化系统

长 长 的旅程
cháng cháng de lǚ chéng

食物进入口腔后，便开始了它们长长的旅程。食物经牙齿咀嚼和舌头搅拌后，经食道进入胃，在胃内与胃液进一步混合研磨，然后进入小肠，在肝脏和胰腺分泌的消化液的帮助下，食物被分解，营养被身体吸收。

消化一餐需要多长时间
xiāo huà yī cān xū yào duō cháng shí jiān

食物被消化系统消化所需要的时间取决于食物被消化的难易程度。例如，蔬菜消化得较快，肉类就消化得较慢。正常情况下完全消化一餐食物大约要花24个小时。食物在各个器官里的消化时间见右图所示。

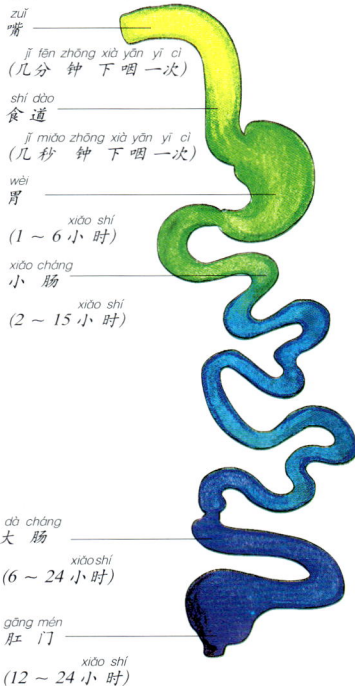

各消化器官消化一餐食物所需要的时间
gé xiāo huà qì guān xiāo huà yī cān shí wù suǒ xū yào de shí jiān

嘴 zuǐ

食道 shí dào
（几分钟下咽一次）
（jǐ fēn zhōng xià yàn yī cì）
（几秒钟下咽一次）
（jǐ miǎo zhōng xià yàn yī cì）

胃 wèi
（1～6小时）

小肠 xiāo cháng
（2～15小时）

大肠 dà cháng
（6～24小时）

肛门 gāng mén
（12～24小时）

肚子饿了就得吃东西。
dù zi è le jiù děi chī dōng xi

为什么肚子饿了会咕咕叫
wèi shén me dù zi è le huì gū gū jiào

食物消化完以后，胃和小肠的前段就空出来了，但这时消化液的分泌并没有停止。当我们感到饿得厉害时，胃和小肠收缩，消化液和吞入的空气在胃和肠的挤压下，就会发出咕咕的响声。

jiān yá lì chǐ
尖牙利齿

nǐ zhī dào ma
·你知道吗·

xì xīn de xiǎo péng yǒu kě néng huì fā xiàn   nǐ
细心的小朋友可能会发现，你

huò qí tā xiǎo péng yǒu de yá diào le huì zài zhǎng chū
或其他小朋友的牙掉了会再长出

lái   ér yé ye de yá diào le què zài yě zhǎng bù chū lái
来，而爷爷的牙掉了却再也长不出来

le   nǐ zhī dào zhè shì wèi shén me ma
了，你知道这是为什么吗?

wǒ lái gào su nǐ
我来告诉你

rén de yī shēng gòng zhǎng
人的一生共长

liǎng chá yá   jiù shì rǔ yá hé héng
两茬牙，就是乳牙和恒

yá   rǔ yá zài nǐ   gè yuè de shí hou jiù kāi shǐ shēng zhǎng
牙。乳牙在你6个月的时候就开始生长，

dào nǐ   suì zuǒ yòu shí zuǐ li jiù chū qí le   kē rǔ yá zài
到你2岁左右时，嘴里就出齐了20颗乳牙。在

nǐ liù qī suì de shí hou   rǔ yá kāi shǐ huàn chéng héng yá   héng
你六七岁的时候，乳牙开始换成恒牙。恒

yá gòng   kē tā men tuō luò hòu jiù zài yě bù zhǎng xīn yá le
牙共32颗，它们脱落后就再也不长新牙了。

yá chǐ nèi bù
牙齿内部

yá chǐ shàng bàn bù fen shì yá guān   tā yóu jiān yìng de yá yòu
牙齿上半部分是牙冠，它由坚硬的牙釉

zhì bāo guǒ zhe   lǐ miàn de yá běn zhì lüè ruǎn   kě yǐ xī shōu
质包裹着。里面的牙本质略软，可以吸收

jù dà de yā lì hé shòu zhuàng jī chǎn
巨大的压力和受撞击产

shēng de lì   yá chǐ de xià bàn
生的力。牙齿的下半

bù fen shì yá gēn   tā gù
部分是牙根，它固

dìng zài yá chuáng shang   yá
定在牙床上。牙

chǐ zhōng xīn shì tí gōng
齿中心是提供

yǎng fèn de yá suǐ xuè
养分的牙髓血

guǎn hé yá suǐ shén jīng
管和牙髓神经。

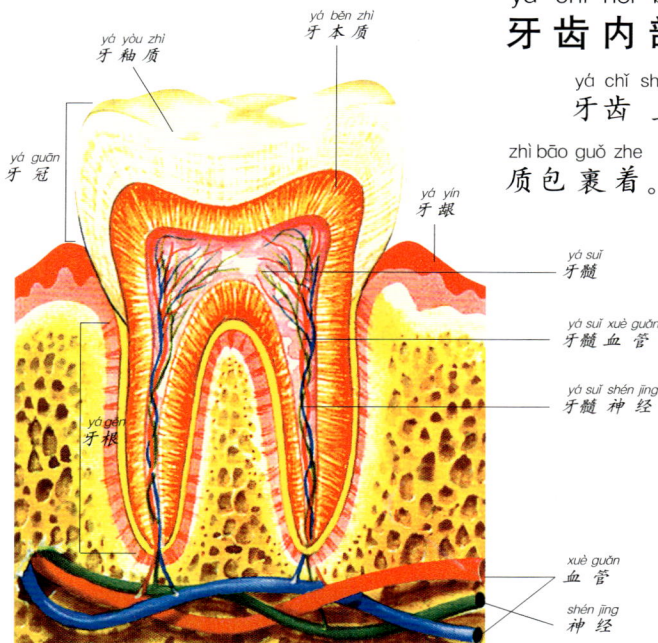

yá yòu zhì
牙釉质

yá běn zhì
牙本质

yá guān
牙冠

yá yín
牙龈

yá suǐ
牙髓

yá suǐ xuè guǎn
牙髓血管

yá suǐ shén jīng
牙髓神经

yá gēn
牙根

xuè guǎn
血管

shén jīng
神经

yá chǐ de nèi bù jié gòu
牙齿的内部结构

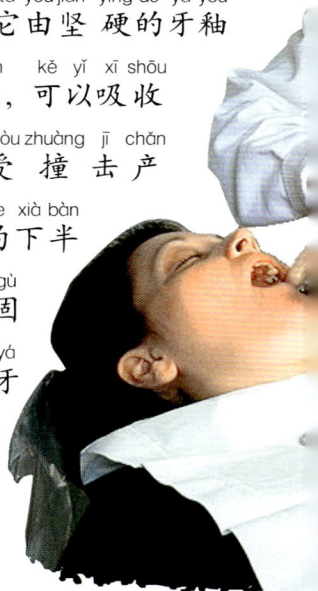

形　状 各异的牙齿
xíng zhuàng gè yì de yá chǐ

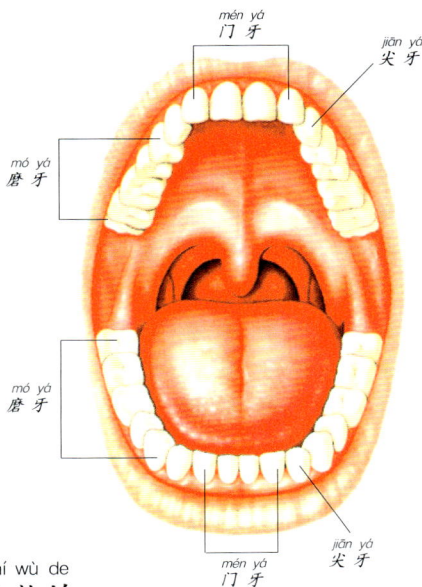

各 种牙齿在口腔 中的位置
gè zhǒng yá chǐ zài kǒu qiāng zhōng de wèi zhi

牙齿有不同的形 状 是因为它们 担负的工 作
yá chǐ yǒu bù tóng de xíng zhuàng shì yīn wèi tā men dān fù de gōng zuò

不一样。长在前 方正 中的是扁 扁的、宽 宽的
bù yī yàng zhǎng zài qián fāng zhèng zhōng de shì biǎn biǎn de kuān kuān de

门牙，专 门负责切 断食物；靠近嘴角 两边各有一
mén yá zhuān mén fù zé qiē duàn shí wù kào jìn zuǐ jiǎo liǎng biān gè yǒu yī

对尖尖的尖牙，专 管撕碎食物。口 腔后 面的两排
duì jiān jiān de jiān yá zhuān guǎn sī suì shí wù kǒu qiāng hòu mian de liǎng pái

磨牙，善于将食 物磨碎和嚼烂。
mó yá shàn yú jiāng shí wù mó suì hé jiáo làn

蛀 牙的形 成
zhù yá de xíng chéng

牙齿 上的小 洞就是蛀牙。当食物的
yá chǐ shang de xiǎo dòng jiù shì zhù yá dāng shí wù de

残渣 长时间 粘在牙齿 上时，里面的
cán zhā cháng shí jiān zhān zài yá chǐ shang shí lǐ miàn de

细菌就会对食物残渣进行分解，产 生 出很酸的
xì jūn jiù huì duì shí wù cán zhā jìn xíng fēn jiě chǎn shēng chū hěn suān de

物质，慢 慢地就把牙齿腐蚀出一个个小 洞。如
wù zhì màn màn de jiù bǎ yá chǐ fǔ shí chū yī gè gè xiǎo dòng rú

果不及时治疗，牙齿会 痛得不得了。
guǒ bù jí shí zhì liáo yá chǐ huì tòng de bù dé liǎo

检查蛀牙
jiǎn chá zhù yá

教你正 确的刷牙方法
jiāo nǐ zhèng què de shuā yá fāng fǎ

正确的刷牙方法是顺 着牙缝 上下刷。刷 上牙
zhèng què de shuā yá fāng fǎ shì shùn zhe yá fèng shàng xià shuā shuā shàng yá

时从 上 往下刷，刷下牙时从 下 往 上 刷。牙刷顺
shí cóng shàng wǎng xià shuā shuā xià yá shí cóng xià wǎng shàng shuā yá shuā shùn

着牙齿从 左到右都刷 到，从 里到外都 刷干净。当 刷
zhe yá chǐ cóng zuǒ dào yòu dōu shuā dào cóng lǐ dào wài dōu shuā gān jìng dāng shuā

里面的磨牙时，注意要把磨牙的咬合 面 前后来回刷几遍。
lǐ miàn de mó yá shí zhù yì yào bǎ mó yá de yǎo hé miàn qián hòu lái huí shuā jǐ biàn

shí dào hé wèi
食道和胃

wǒ men yān xià qù de shí wù zài jìn rù wèi zhī qián yào jīng guò shén me xiāo huà qì guān

我们咽下去的食物在进入胃之前要经过什么消化器官？

jīng guò wèi xiāo huà hòu de shí wù yòu jìn dào le shén me xiāo huà qì guān

经过胃消化后的食物又进到了什么消化器官？

shí dào　　　shé tou　　　xiāo cháng　　　dà cháng

A. 食道　B. 舌头　C. 小肠　D. 大肠

nǐ de dá àn

你的答案（　）

chī píng guǒ
吃苹果

wǒ lái gào su nǐ
我来告诉你

wèi de shàng bù yǔ shí dào xiāng lián　shí wù jīng guò shí dào hòu

胃的上部与食道相连,食物经过食道后

biàn jìn rù wèi li　wèi de xià bù yǔ xiǎo cháng xiāng lián　jīng wèi xiāo huà

便进入胃里。胃的下部与小肠相连,经胃消化

guò de shí wù jìn rù xiǎo cháng

过的食物进入小肠。

shí wù de dì yī tōng dào —— shí dào
食物的第一通道——食道

shí wù bèi yàn xià qù zhī hòu　　jiù jìn rù shí dào　　shí dào jiù xiàng

食物被咽下去之后，就进入食道。食道就像

yī tiáo cháng cháng de rú chóng　yī yǒu shí wù jìn lái jiù kāi shǐ màn màn

一条长长的蠕虫，一有食物进来就开始慢慢

rú dòng　ér qiě zǒng shì bǎ shí wù cháo zhe wèi bù fāng xiàng tuī jìn　jí

蠕动，而且总是把食物朝着胃部方向推进。即

shǐ wǒ men tǎng zhe hē shuǐ huò chī dōng xi　zhào yàng kě yǐ bǎ

使我们躺着喝水或吃东西，照样可以把

shí wù sòng dào wèi lǐ miàn

食物送到胃里面。

shí wù bèi yàn xià qù zhī hòu　jiù jìn rù shí dào
食物被咽下去之后，就进入食道。

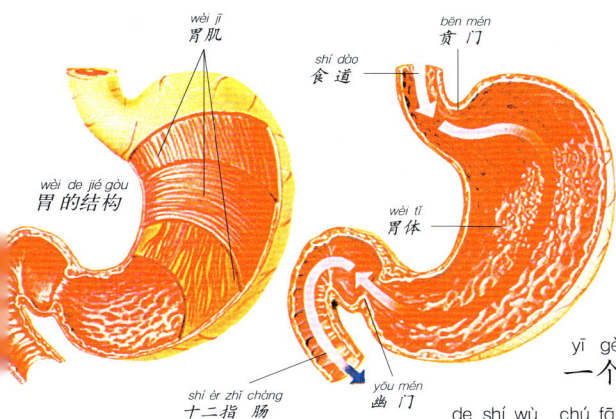

胃的结构
胃肌 *wèi jī*
食道 *shí dào*
贲门 *bēn mén*
胃体 *wèi tǐ*
十二指肠 *shí èr zhǐ cháng*
幽门 *yōu mén*

神奇的无底洞——胃

胃位于人体上腹部的正中部，形状像个大茄子。它的入口叫贲门，出口叫幽门。胃的内壁里有相当厚实的肌肉。

一个普通成年人的胃里能容纳两升左右的食物。除发生呕吐外，食物一般不会从胃里返出体外。

胃有什么功能

胃是进一步粉碎和暂时贮存食物的器官。食物进入胃后，胃就开始蠕动了。它把食物来回揉捏搓擦，同时分泌出许多胃液，使食物变得更加松软，更容易被消化。另外，胃液还能杀死溜进胃里的细菌。胃将消化过的食物送到小肠，便完成了它的工作。

为什么一边看书一边吃饭不好

我们吃饭的时候，大脑指挥消化系统工作，如果一边吃饭一边看书，大脑就要同时指挥"两个战场战斗"，食物就不容易消化了。

另外，一边吃饭，一边用手指翻书，会把书本上的细菌吃到肚子里。

一边吃东西一边写字不好。

吸收功能强大的小肠

·你知道吗·

shí wù jīng guò wèi de xiāo huà hòu　　jiù jìn rù le xiǎo cháng　nǐ zhī

食物经过胃的消化后，就进入了小肠。你知

dào xiǎo cháng yǒu duō cháng ma

道小肠有多长吗?

mǐ　　　　　　mǐ　　　　　　mǐ　　　　　　mǐ

A. 3~4米　B. 4~5米　C. 5~6米　D. 6~7米

nǐ de dá àn

你的答案（　）

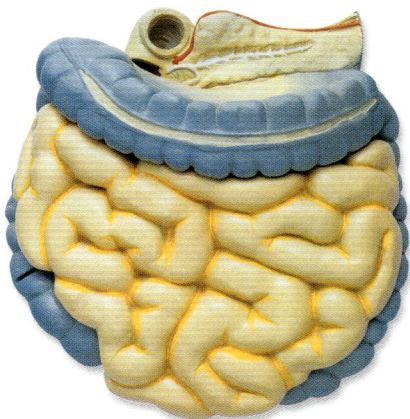

cháng dá　　　mǐ de xiǎo cháng pán qū zài fù bù
长达6～7米的小肠盘曲在腹部。

shí wù de xī shōu jǐ hū dōu zài xiǎo cháng li jìn xíng zhī
食物的吸收几乎都在小肠里进行，只

yǒu shuǐ fèn hé shí wù cán zhā huì jì xù jìn rù dà cháng
有水分和食物残渣会继续进入大肠。

我来告诉你
wǒ lái gào su nǐ

rén de xiǎo cháng yì bān cháng dá　　　mǐ
人的小肠一般长达6～7米，

dà yuē wéi shēn gāo de　bèi　rú guǒ bǎ nǐ de xiǎo
大约为身高的4倍。如果把你的小

cháng lā zhí　nǐ jiù biàn chéng yí gè xiǎo jù rén la
肠拉直，你就变成一个小巨人啦!

dà cháng
大肠

xiǎo cháng
小肠

shí wù xiǎo fēn zǐ
食物小分子

shí wù
食物

小肠的组成部分
xiǎo cháng de zǔ chéng bù fen

xiǎo cháng pán qū zài xià fù bù　　yóu shí èr zhǐ cháng　kōng cháng yǐ
小肠盘曲在下腹部，由十二指肠、空肠以

jí huí cháng sān bù fen zǔ chéng　shí èr zhǐ cháng jǐn jiē zhe wèi yōu mén xiàng
及回肠三部分组成。十二指肠紧接着胃幽门，像

yí gè yīng wén zì mǔ　　　tā zǒng shì　qiān xùn　de wān zhe yāo　shí
一个英文字母C，它总是"谦逊"地弯着腰。十

èr zhǐ cháng xià mian biàn shì kōng cháng　huí cháng jǐn jiē zhe kōng cháng
二指肠下面便是空肠，回肠紧接着空肠。

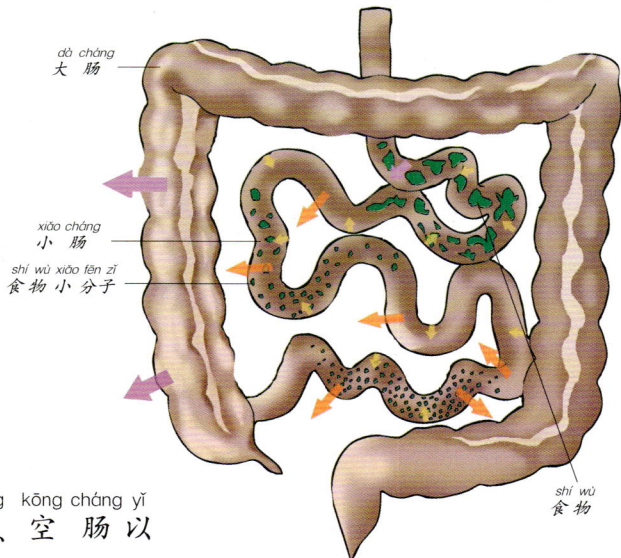

kōng cháng
空肠

huí cháng
回肠

xiǎo cháng de nèi bù jié gòu
小 肠 的内部结构

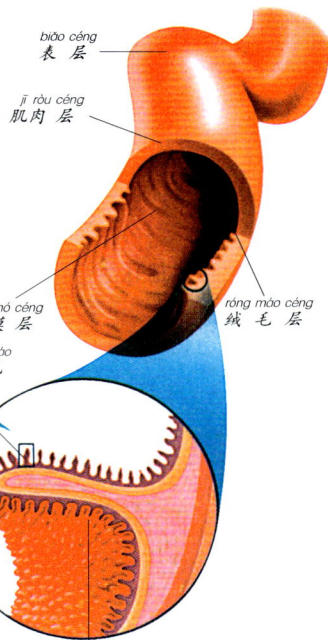

biǎo céng
表层

jī ròu céng
肌肉层

zhěng gè xiǎo cháng de gè bù fen de jié gòu jī běn shang shì xiāng tóng de fēn wéi sì
整个小 肠 的各部分的结构基本 上是相 同的，分为四

céng zuì wài céng shì xiǎo cháng de biǎo céng jǐn jiē zhe shì jī ròu céng zài lǐ miàn shì xiǎo
层。最外层是小 肠 的表层；紧接着是肌肉层；再里面是小

xiǎo cháng nèi mó céng
小 肠 内膜层

róng máo céng
绒毛层

cháng nèi mó céng zhè céng lǐ miàn yǒu fēng fù de máo xì
肠 内膜层，这层里面有丰富的毛细

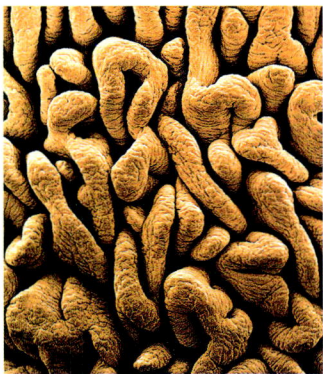

xuè guǎn zuì lǐ miàn yī
血管；最里面一

xiǎo cháng róng máo
小 肠 绒毛

céng shì róng
层 是绒

máo céng
毛层。

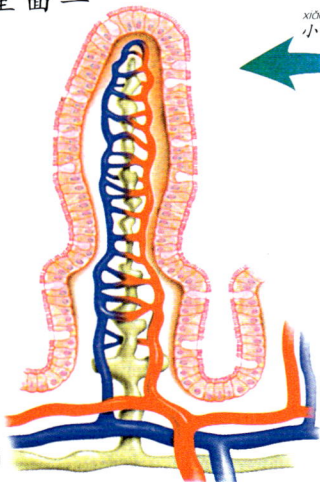

fàng dà le de xiǎo cháng nèi bì
放大了的小 肠 内壁

xiǎo cháng zhě zhòu de nèi bì
小 肠 褶皱的内壁

xiǎo cháng nèi bù jié gòu shì yì tú
小 肠 内部结构示意图

xiǎo cháng nèi de xiāo huà hé xī shōu
小 肠 内的消化和吸收

shí wù de xiāo huà hé xī shōu guò chéng zhǔ
食物的消 化和吸收过 程 主

yào fā shēng zài xiǎo cháng jīng guò wèi xiāo huà de
要发生在小 肠。经过胃消化的

shí wù jìn rù xiǎo cháng hòu suí zhe xiǎo cháng de
食物进 入小 肠 后，随着小 肠 的

rú dòng xiǎo cháng nèi fēn mì de yè tǐ jiāng yíng yǎng
蠕动,小 肠 内分泌的液体将营养

wù zhì fēn jiě de gèng xiǎo xiǎo dào zú yǐ tòu guò
物质分解得更 小，小 到足以透过

cháng bì jìn rù xuè yè bèi shēn tǐ lì yòng
肠 壁，进入血液，被 身体利用。

xiāo huà bù liǎo de cán zhā jiù huì jìn rù dà cháng
消 化不了的残渣 就会进入大 肠。

fèn biàn zhì zào gōng chǎng —— dà cháng
粪便制造工厂——大肠

nǐ zhī dào ma
你知道吗

xiāo huà bù liǎo de shí wù cán zhā jìn rù dà cháng hòu huì xíng chéng fèn
消化不了的食物残渣进入大肠后会形成粪

biàn nǐ zhī dào dà cháng bāo kuò jǐ bù fen ma
便。你知道大肠包括几部分吗?

èr bù fen
A. 二部分

sān bù fen
B. 三部分

sì bù fen
C. 四部分

wǔ bù fen
D. 五部分

nǐ de dá àn
你的答案( )

dà cháng jié gòu shì yì tú
大肠结构示意图

jié cháng
结肠

máng cháng
盲肠

zhí cháng
直肠

wǒ lái gào su nǐ
我来告诉你

dà cháng xiàng yī jié jié gǔ gu nāng
大肠像一节节鼓鼓囊

nāng de dài zi gòng bāo kuò sān bù fen tā men
囊的袋子,共包括三部分,它们

fēn bié shì máng cháng jié cháng hé zhí cháng
分别是盲肠、结肠和直肠。

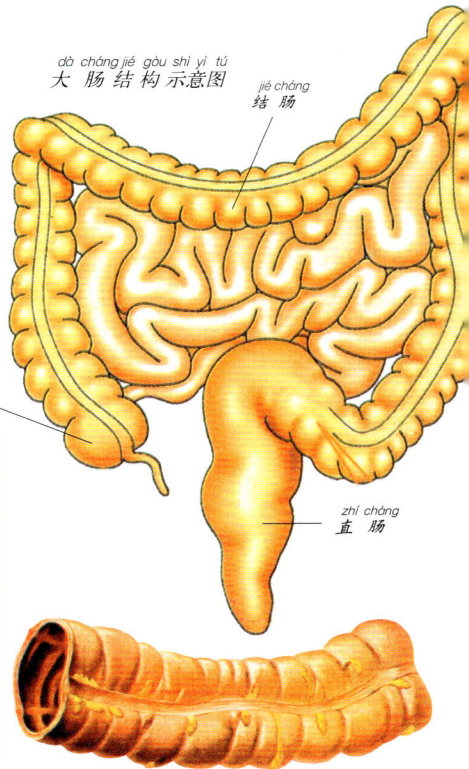

jié cháng de wài xíng
结肠的外形

dà cháng
大肠

lí mǐ
7.5厘米

dà cháng yǔ xiǎo cháng de duì bǐ
大肠与小肠的对比

lí mǐ
2.5厘米

xiǎo cháng
小肠

dà cháng bǐ xiǎo cháng dà ma
大肠比小肠大吗

dà cháng yǔ xiǎo cháng jǐn mì xiāng lián   xiǎo cháng xī shōu bù liǎo de
大肠与小肠紧密相连,小肠吸收不了的

shí wù cán zhā dōu dào le dà cháng lǐ miàn   chéng rén de dà cháng yuē yǒu
食物残渣都到了大肠里面。成人的大肠约有

mǐ cháng   zhí jìng yuē wéi   lí mǐ   tā zhī suǒ yǐ
1.8米长,直径约为7.5厘米。它之所以

jiào zuò dà cháng   bìng bù shì yīn wèi tā bǐ xiǎo cháng cháng
叫作大肠,并不是因为它比小肠长,

ér shì yīn wèi tā bǐ zhí jìng wèi   lí mǐ
而是因为它比直径为2.5厘米

zuǒ yòu de xiǎo cháng cū
左右的小肠粗。

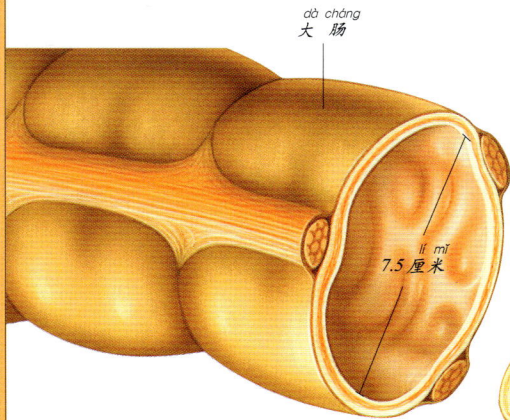

大肠的功能
dà cháng de gōng néng

大肠的主要功能是吸收食物残渣中的水分和盐分，使
粪便成形，并暂时将粪便贮存在其中，到了一定的时间
将粪便排出体外。另外，在大肠里的细菌能利用肠内的
食物残渣合成维生素B和维生素K，这些维生素经
由大肠吸收，供身体使用。

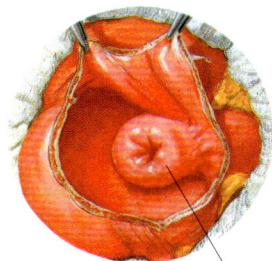

回盲瓣将小肠
与大肠连接起来。

回盲瓣

大便为什么这么臭
dà biàn wèi shén me zhè me chòu

我们吃进去的食物很香，为什么排出来的大便会
变臭呢？原来，那些消化不了的食物残渣被送入大
肠后，大肠里有很多腐败菌，使残渣变臭。当这些
残渣从肛门排出来的时候，可不就成了臭大便啦!

好臭啊!

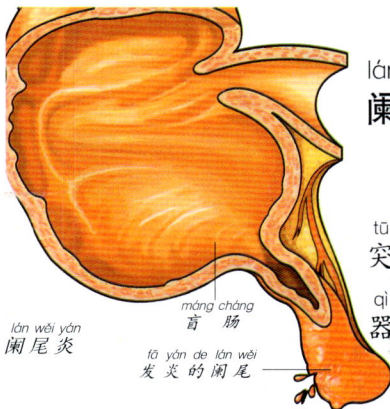

阑尾炎

盲肠

发炎的阑尾

阑尾
lán wěi

在大肠起始部位的盲肠上有一个像蚯蚓状的
突起叫阑尾。阑尾不参与消化过程，可能是一个被淘汰的
器官。阑尾的管腔很容易被粪便等阻塞，所以很容易
发炎。医生治疗阑尾炎的办法通常是将阑尾切除。

zhì zào xiāo huà yè de xiàn tǐ
制造 消化液的腺体

nǐ zhī dào ma
· 你知道吗 ·

xiāo huà xiàn néng fēn mì chū xiāo huà yè bāng zhù rén tǐ xiāo huà nǐ
消化腺 能分泌出 消化液 帮助人体消化,你

zhī dào rén tǐ zhōng yǒu jǐ zhǒng xiāo huà xiàn ma
知道 人体中 有几种 消化腺吗?

è r zhǒng   sān zhǒng   sì zhǒng   wǔ zhǒng
A. 二种   B. 三种   C. 四种   D. 五种

nǐ de dá àn
你的答案（ ）

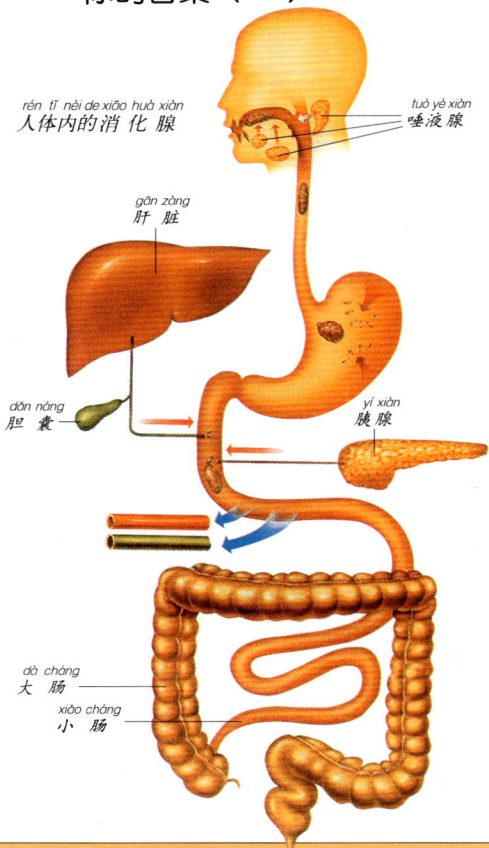

rén tǐ nèi de xiāo huà xiàn
人体内的消化腺

tuò yè xiàn
唾液腺

gān zàng
肝脏

dǎn náng
胆囊

yí xiàn
胰腺

dà cháng
大肠

xiǎo cháng
小肠

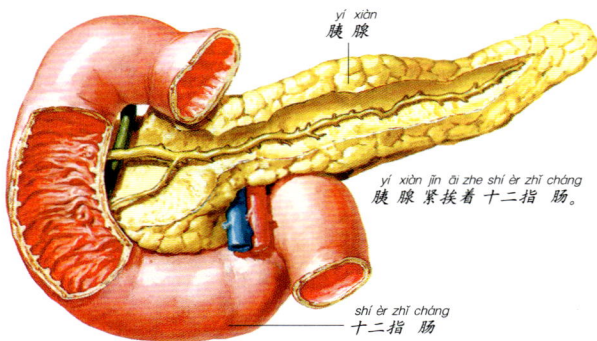

yí xiàn
胰腺

yí xiàn jǐn āi zhe shí èr zhǐ cháng
胰腺紧挨着十二指肠。

shí èr zhǐ cháng
十二指肠

yí xiàn
胰腺

yí xiàn shì yī gè cháng tiáo zhuàng de xiàn tǐ wèi yú zhōng shàng
胰腺是一个长条状的腺体,位于中上

fù jǐn āi zhe shí èr zhǐ cháng tā yóu liǎng zhǒng xì bāo gòu chéng yī
腹,紧挨着十二指肠。它由两种细胞构成,一

zhǒng shì fēn mì yí dǎo sù de yí dǎo xì bāo lìng yī zhǒng shì néng chǎn
种 是分泌胰岛素的胰岛细胞,另一种 是能产

shēng yí yè de xiàn xì bāo yí dǎo sù néng tiáo jié rén tǐ nèi de xuè táng
生胰液的腺细胞。胰岛素能 调节人体内的血糖

hán liàng yí yè néng fēn jiě shí wù shǐ shí wù lì yú rén tǐ xī shōu
含量。胰液能 分解食物,使食物利于人体吸收。

tuò yè xiàn
唾液腺

　　tuò yè jiù shì kǒushuǐ　　tā shì cóng tuò yè xiàn li fēn mì chū
　　唾液就是口水，它是从唾液腺里分泌出

lái de　　zài wǒ men de zuǐ ba li　　yǒu sān duì tuò yè xiàn　fēn
来的。在我们的嘴巴里，有三对唾液腺，分

bié jiào zuò sāi xiàn　　shé xià xiàn hé hé xià xiàn　　tā men xiàng sān
别叫作腮腺、舌下腺和颌下腺。它们像三

tiáo　xiǎo xī liú　　měi shí měi kè dōu zài liú tǎng kǒu shuǐ　bāng
条"小溪流"，每时每刻都在流淌口水，帮

zhù wǒ men xiāo huà shí wù
助我们消化食物。

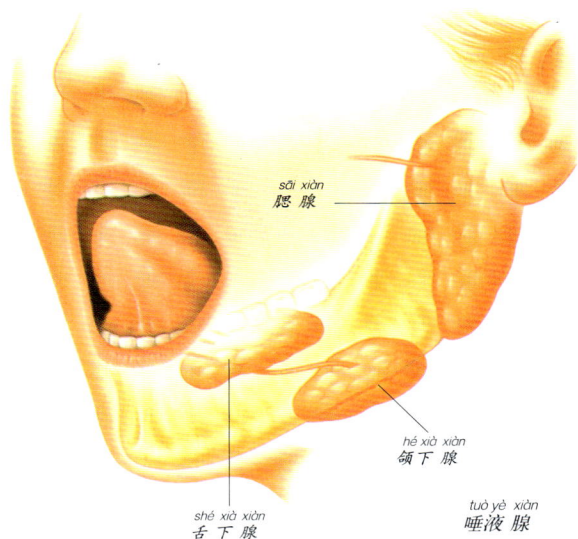

sāi xiàn
腮腺

hé xià xiàn
颌下腺

shé xià xiàn
舌下腺

tuò yè xiàn
唾液腺

guǎn zhuàng xiàn
管状腺

　　zài wèi de nèi bì　li yǒu shù bǎi wàn gè guǎn zhuàng xiàn　　zhè xiē xiàn tǐ néng fēn mì
　　在胃的内壁里有数百万个管状腺，这些腺体能分泌

duō zhǒng xiāo huà yè　　dāng shí wù jìn rù wèi li de shí hou　　zhè xiē xiāo huà yè biàn fā
多种消化液，当食物进入胃里的时候，这些消化液便发

huī xiāo huà shí wù de zuò yòng　　zài xiǎo cháng nèi bì de róng máo zhōng yě yǒu hěn duō
挥消化食物的作用。在小肠内壁的绒毛中也有很多

guǎn zhuàng xiàn　　tā fēn mì de xiāo huà yè néng xiāo huà jìn rù xiǎo cháng de shí wù
管状腺，它分泌的消化液能消化进入小肠的食物。

xiāo huà méi
消化酶

　　xiāo huà méi hán zài xiāo huà xiàn fēn mì de xiāo huà yè zhōng　　néng cù jìn shí wù zhōng de yíng
　　消化酶含在消化腺分泌的消化液中，能促进食物中的营

yǎng wù zhì fēn jiě　　　lì rú　　wǒ men cóng zuǐ ba chī jìn qù de yú ròu xiān
养物质分解。例如，我们从嘴巴吃进去的鱼肉先

dào dá wèi zài dào dá xiǎo cháng　　zài zhè ge guò chéng zhōng　xiāo
到达胃再到达小肠，在这个过程中，消

huà xiàn huì fēn mì chū xiāo huà ròu lèi de méi　　zhè xiē méi bǎ yú
化腺会分泌出消化肉类的酶，这些酶把鱼

ròu fēn jiě de yuè lái yuè xiǎo　　zhí dào néng bèi rén tǐ xī shōu
肉分解得越来越小，直到能被人体吸收。

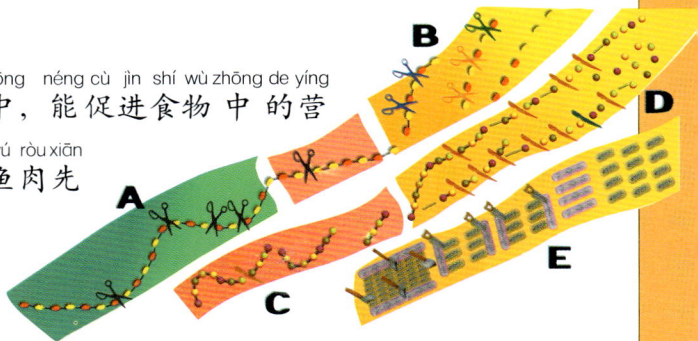

cóng　dào　de guò chéng zhōng xiāo huà méi bǎ shí wù fēn jiě de yuè lái yuè xiǎo
从A到E的过程中，消化酶把食物分解得越来越小。

人体摄入的营养物质

生鸡蛋

你知道吗

我们都吃过鸡蛋，你知道蛋白和蛋黄哪个营养更丰富吗？

A. 蛋白　　B. 蛋黄

你的答案（　）

熟鸡蛋

我来告诉你

蛋黄里的营养更丰富。因为蛋白里的蛋白质含量没有蛋黄里的高，而且，鸡蛋里的脂肪、矿物质和维生素也都集中在蛋黄里。

营养物质来自食物。

什么是营养物质

营养物质是人从食物中摄入体内以维持生命的物质，主要包括碳水化合物、蛋白质、脂肪、维生素和矿物质。碳水化合物在淀粉和糖类食物中含量丰富，它能给人体提供能量。蛋白质在蛋类、豆类食物中含量较多，是人体生长和生存所必需的营养物质之一。在肉类食物中含量较高的脂肪能为人体提供能量并帮助人体保暖。人体对维生素和矿物质的需要量虽少，但它们却能使人保持健康。

shì liàng chī táng
适量吃糖

táng lèi shí wù fēn jiě shí néng gěi rén tǐ gōng yùn dòng suǒ xū yào
糖类食物分解时能给人提供运动所需要

de néng liàng dàn yóu yú nǐ de shēn tǐ hái méi yǒu fā yù wán quán rú guǒ táng chī duō le táng
的能量，但由于你的身体还没有发育完全，如果糖吃多了，糖

fēn jiě shí chǎn shēng de fèi wù jiù huì jī cún zài dà nǎo li shǐ nǐ róng yì chōng dòng rèn xìng
分解时产生的废物就会积存在大脑里，使你容易冲动、任性、

ài fā pí qì děng cǐ wài táng hái huì fǔ shí yá chǐ yǐng xiǎng nǐ de shén jīng fā yù
爱发脾气等。此外，糖还会腐蚀牙齿，影响你的神经发育。

táng bù yí duō chī
糖不宜多吃。

bù néng tiāo shí
不能挑食

yào shǐ shēn tǐ zhǎng de kuài zhǎng de zhuàng
要使身体长得快、长得壮，

jiù xū yào gè zhǒng gè yàng de yíng yǎng wù
就需要各种各样的营养物

zhì ér měi yī zhǒng shí wù bìng bù shì dōu
质，而每一种食物并不是都

hán yǒu gè zhǒng yíng yǎng wù zhì rú
含有各种营养物质，如

guǒ xiǎo péng yǒu yǎng chéng le
果小朋友养成了

tiāo shí de xí guàn huì shǐ
挑食的习惯，会使

shēn tǐ dǐ kàng jí bìng de
身体抵抗疾病的

néng lì xià jiàng yě
能力下降，也

huì yǐng xiǎng
会影响

zhǎng shēn tǐ
长身体。

zhǐ yǒu píng héng de shè rù yíng yǎng wù zhì shēn tǐ cái huì jiàn kāng
只有平衡地摄入营养物质，身体才会健康。

wèi shén me bù yí duō chī yáng kuài cān
为什么不宜多吃洋快餐

yī xué jiā yíng yǎng zhuān jiā
医学家、营养专家

yī zhí tí xǐng wǒ men bù yào duō
一直提醒我们：不要多

chī yáng kuài cān yīn
吃"洋快餐"。因

wèi yáng kuài cān shǔ yú gāo rè liàng
为"洋快餐"属于高热量、

gāo zhī fáng gāo tàn shuǐ huà hé wù
高脂肪、高碳水化合物

de shí pǐn chī yáng kuài cān
的食品，吃"洋快餐"

hòu duō yú de rè liàng jiù huì
后，多余的热量就会

zhuǎn huà chéng zhī fáng jī
转化成脂肪积

cún zài tǐ nèi yǐn qǐ
存在体内，引起

féi pàng
肥胖。

běn lǐng shén qí de gān zàng
本领神奇的肝脏

nǐ zhī dào ma
你知道吗

gān zàng tóng xīn zàng yī yàng zhòng yào　　yīn wèi tā yǒu xǔ duō
肝脏同心脏一样重要，因为它有许多

gōng néng　nǐ zhī dào gān zàng zhǔ yào yǒu jǐ zhǒng gōng néng ma
功能。你知道肝脏主要有几种功能吗？

A. 5种 zhǒng

B. 6种 zhǒng

C. 7种 zhǒng

D. 8种 zhǒng

nǐ de dá àn
你的答案（　）

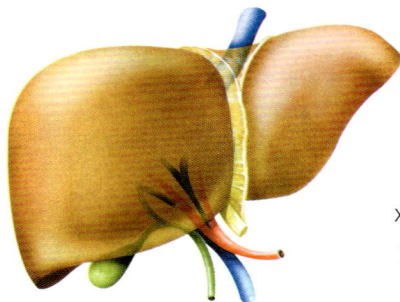

gān zàng de wài xíng
肝脏的外形

gān zàng
肝脏

dǎn náng
胆囊

dǎn guǎn
胆管

yí xiàn
胰腺

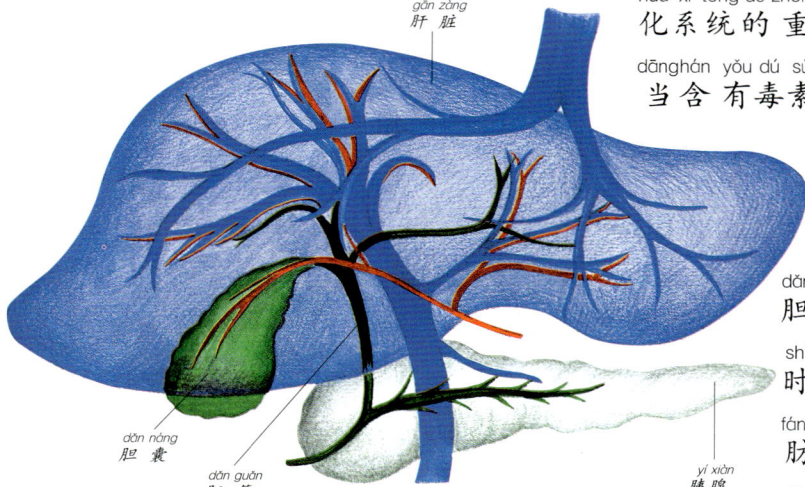

gān zàng shì rén tǐ nèi zuì dà de xiāo huà xiàn
肝脏是人体内最大的消化腺。

wǒ lái gào su nǐ
我来告诉你

gān zàng shēn jiān shù
肝脏身兼数

zhí běn lǐng shén qí qí zhōng zhǔ yào de gōng néng
职，本领神奇，其中主要的功能

yǒu 8 zhǒng jí xiāo huà gōng néng chǔ cún hé shì fàng
有8种，即：消化功能、储存和释放

néng liàng de gōng néng pái dú gōng néng zào xuè gōng
能量的功能、排毒功能、造血功

néng níng xuè gōng néng tiáo jié xuè liú liàng de gōng
能、凝血功能、调节血流量的功

néng róng jiě gōng néng hé zài shēng gōng néng
能、溶解功能和再生功能。

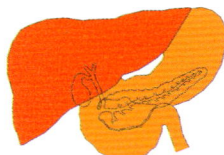

xiāo huà gōng néng
消化功能

gān zàng wèi yú fù qiāng yòu shàng fāng　　tā duì yú xiāo
肝脏位于腹腔右上方，它对于消

huà xì tǒng de zhòng yào xìng zài yú tā néng chǎn shēng dǎn zhī
化系统的重要性在于它能产生胆汁。

dāng hán yǒu dú sù de wù zhì　　hán yǒu fèi wù de xuè yè hé sǐ
当含有毒素的物质、含有废物的血液和死

wáng de hóng xì bāo dào dá gān zàng shí　　jiù
亡的红细胞到达肝脏时，就

huì bèi gān zàng zhuǎn huàn chéng dǎn zhī
会被肝脏转换成胆汁。

dǎn zhī chǔ cún zài dǎn náng li　　xiāo huà shí wù
胆汁储存在胆囊里。消化食物

shí dǎn zhī jìn rù shí èr zhǐ cháng fēn jiě zhī
时，胆汁进入十二指肠，分解脂

fáng hé dàn bái zhì děng yíng yǎng wù zhì　　yǐ shǐ
肪和蛋白质等营养物质，以使

tā men néng gòu bèi shēn tǐ xī shōu lì yòng
它们能够被身体吸收利用。

能量中转站
néng liàng zhōng zhuǎn zhàn

当 身体摄入的糖类营 养物质过多
dāng shēn tǐ shè rù de táng lèi yíng yǎng wù zhì guò duō

时，肝脏会将过多的糖转换成糖
shí gān zàng huì jiāng guò duō de táng zhuǎn huàn chéng táng

元储存起来，当 身体在能量缺乏时，肝
yuán chǔ cún qǐ lái dāng shēn tǐ zài néng liàng quē fá shí gān

脏又会将储存的糖元分解成人体所能
zàng yòu huì jiāng chǔ cún de táng yuán fēn jiě chéng rén tǐ suǒ néng

吸收的物质，为人体的活动提供能量。
xī shōu de wù zhì wèi rén tǐ de huó dòng tí gōng néng liàng

肝脏排毒
gān zàng pái dú

当食物中所含的各
dāng shí wù zhōng suǒ hán de gè

种有毒物质和肠道在
zhǒng yǒu dú wù zhì hé cháng dào zài

消化过程中产生的
xiāo huà guò chéng zhōng chǎn shēng de

毒性物质到达肝脏时，肝
dú xìng wù zhì dào dá gān zàng shí gān

脏会将它们排出去。
zàng huì jiāng tā men pái chū qù

啤酒中的酒精会
pí jiǔ zhōng de jiǔ jīng huì

对人体造成危
duì rén tǐ zào chéng wēi

害，肝脏能将其
hài gān zàng néng jiāng qí

从血液中清除。
cóngxuè yè zhōng qīng chú

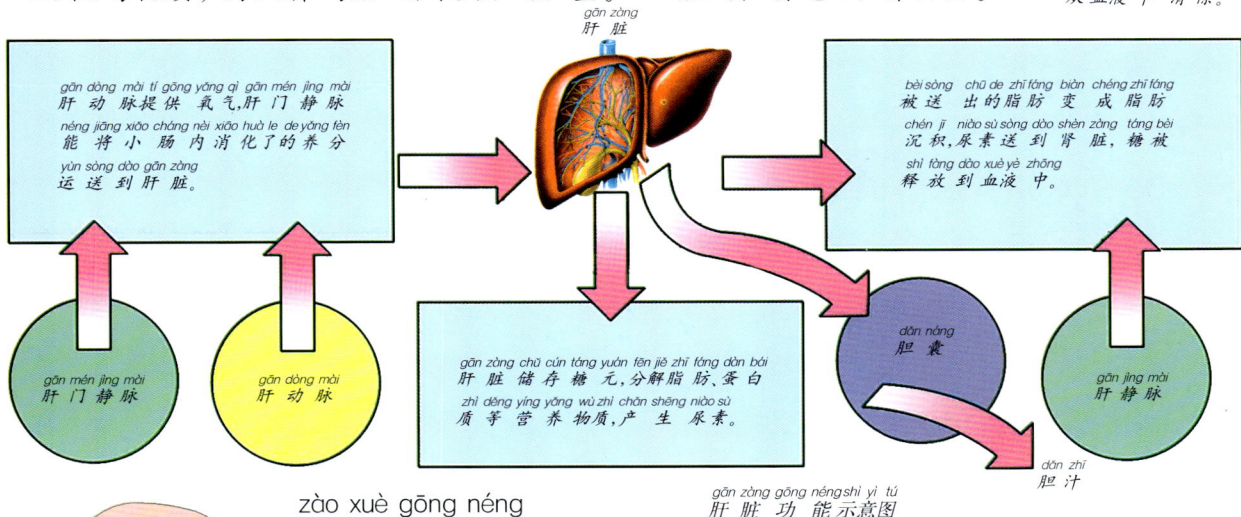

肝动脉提供氧气肝门静脉
gān dòng mài tí gōng yǎng qì gān mén jìng mài
能将小肠内消化了的养分
néng jiāng xiǎo cháng nèi xiāo huà le de yǎng fèn
运送到肝脏。
yùn sòng dào gān zàng

肝门静脉
gān mén jìng mài

肝动脉
gān dòng mài

肝脏
gān zàng

肝脏储存糖元，分解脂肪、蛋白
gān zàng chǔ cún táng yuán fēn jiě zhī fáng dàn bái
质等营养物质，产生尿素。
zhì děng yíng yǎng wù zhì chǎn shēng niào sù

胆囊
dǎn náng

胆汁
dǎn zhī

被送出的脂肪变成脂肪
bèi sòng chū de zhī fáng biàn chéng zhī fáng
沉积，尿素送到肾脏，糖被
chén jī niào sù sòng dào shèn zàng táng bèi
释放到血液中。
shì fàng dào xuè yè zhōng

肝静脉
gān jìng mài

肝脏功能示意图
gān zàng gōng néng shì yì tú

造血功能
zào xuè gōng néng

胎儿在妈妈肚子里 9~24 周的时候，肝脏内生 成大量的造
tāi ér zài mā ma dù zi li zhōu de shí hou gān zàng nèi shēng chéng dà liàng de zào

血干细胞，肝脏也就成了胎儿当时最主要的造血工厂。胎儿
xuè gān xì bāo gān zàng yě jiù chéng le tāi ér dāng shí zuì zhǔ yào de zào xuè gōng chǎng tāi ér

5个月时肝脏的造血功能逐步由骨髓代替。出生后，当血
gè yuè shí gān zàng de zào xuè gōng néng zhú bù yóu gǔ suǐ dài tì chū shēng hòu dāng xuè

液需求量增加时，肝脏也可再次参与造血。
yè xū qiú liàng zēng jiā shí gān zàng yě kě zài cì cān yù zào xuè

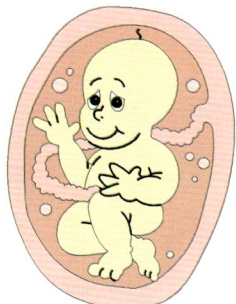

肝脏是胎儿的造血器官。
gān zàng shì tāi ér de zào xuè qì guān

包扎伤口 bāo zhā shāng kǒu

红色的血液
hóng sè de xuè yè

你知道吗
nǐ zhī dào ma

当你不小心把手扎破时，红色的血液就会流出来，你知道血为什么是红色的吗？

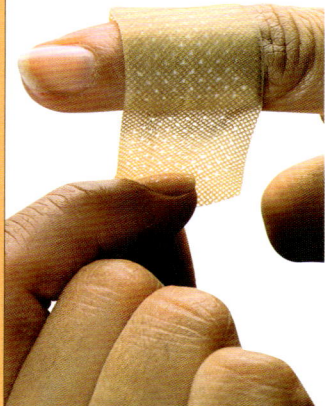

bāo zhā shāng kǒu
包扎伤口

我来告诉你
wǒ lái gào su nǐ

血液的颜色是由血液的成分决定的。人的血是红色的，是因为血液中含铁的缘故。铁大部分藏在我们肉眼看不见的红细胞里。当身体里的血管受到伤害时，红色的血液就会跑到外面来了。

yǎng qì
氧气

fèi pào
肺泡

èr yǎng huà tàn
二氧化碳

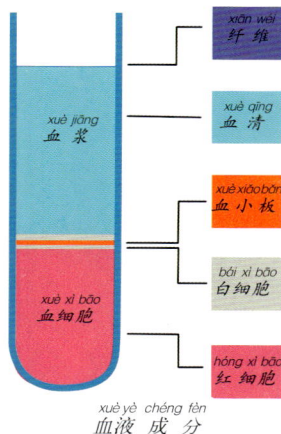

xuè yè de yùn shū gōng néng
血液的运输功能

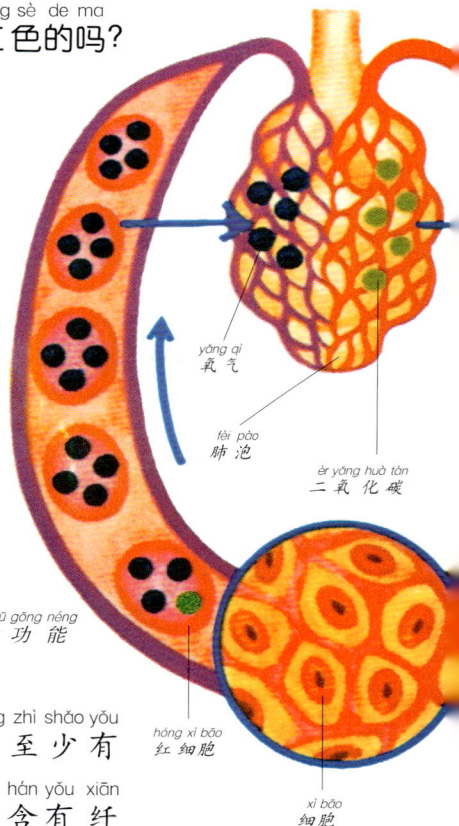

hóng xì bāo
红细胞

xì bāo
细胞

xiān wéi
纤维

xuè jiāng
血浆

xuè qīng
血清

xuè xiǎo bǎn
血小板

bái xì bāo
白细胞

xuè xì bāo
血细胞

hóng xì bāo
红细胞

xuè yè chéng fèn
血液成分

血液的组成
xuè yè de zǔ chéng

血液由四部分组成，其中至少有一半是稀薄的血浆，血浆中含有纤维、血清、溶解的糖、矿物质等各种养分以及数百种其他物质。此外，还有红细胞、白细胞和血小板。

血液的功 能

血液的主要功 能是运输和防御感染。其中血浆运输营养物质，并带走细胞产生的废物；红细胞携带并运输氧气；白细胞主要起着防御感染的作用；血小板有助于伤 口血液的凝固。

血液的凝 血功 能

血液的来 源

血液里的血 浆来源于食物，血细胞则是由人体内的造血器官 产 生的。红细胞、血小 板和某些白细胞是由 长骨里的骨髓制造的，另外一些白细胞是在一种 叫淋巴结的特殊组织内产 生的。

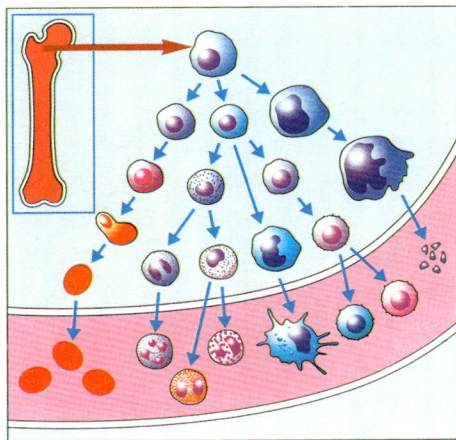

骨髓造血

医生为病人输血时，要输入与其血型 相配的血。

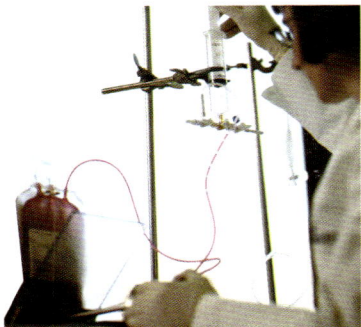

认识血型

血型是一位名 叫兰德施泰纳的病理学家发现的。他通过实验发现人的红细胞表 面存在不同的化学物质，从而发现血液的四种 主要类型，并将它们命名为A、B、AB和O型。后来，人们又发现了其余20多 种血型。

yǒu tán xìng de xuè guǎn
有弹性的血管

nǐ zhī dào ma
·你知道吗·

看看你的手背，你会发现皮肤里面有一些像树枝一样的蓝色的血管。血液是红色的，为什么血管看起来是蓝色的呢？

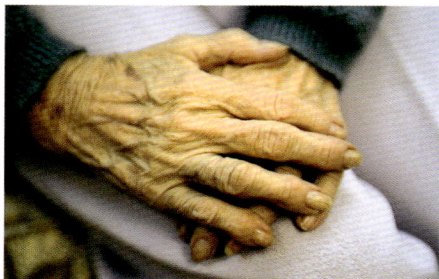
shǒu bèi shang de xuè guǎn kàn qǐ lái shì lán sè de
手背上的血管看起来是蓝色的。

wǒ lái gào su nǐ
我来告诉你

你看到的蓝色血管是静脉血管，这里面的血液本身就是暗红色的，透过厚厚的皮肤来看血管里的血，当然就是蓝色的了。

xuè guǎn zhǎng zài shén me dì fang
血管长在什么地方

你要是不小心碰破了身体任何一个地方，鲜血马上就会流出来。可见，人的身体里到处都有血管。身体里的大血管分出许多小血管，小血管又分出毛细血管，血管就像许许多多的大河、小河、小溪……布满了我们全身。

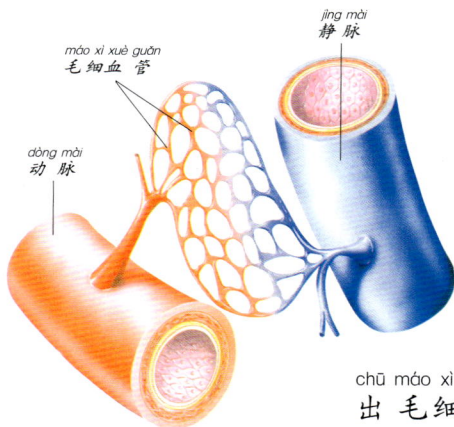
máo xì xuè guǎn 毛细血管
jìng mài 静脉
dòng mài 动脉
rén tǐ xuè guǎn de lián jiē fāng shì shì yì tú
人体血管的连接方式示意图

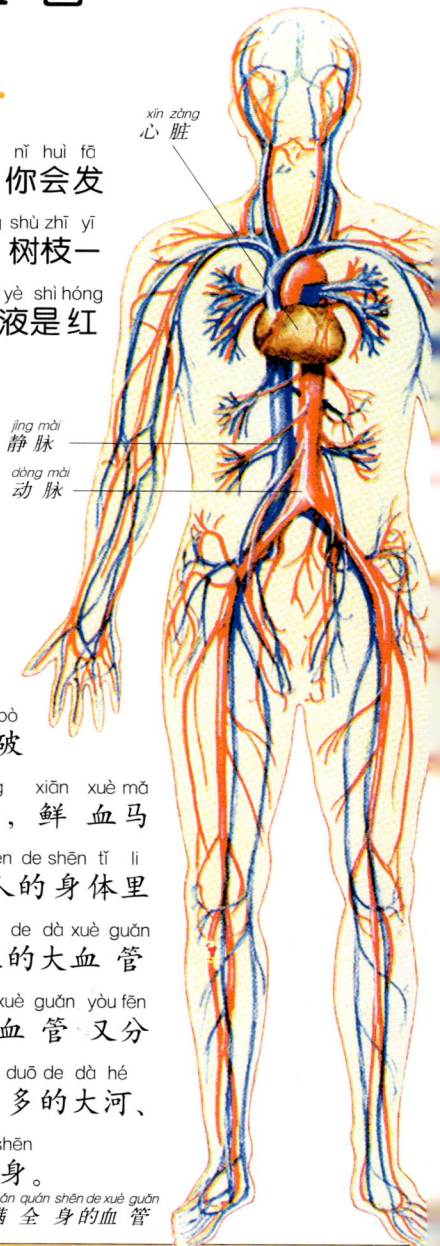
xīn zàng 心脏
jìng mài 静脉
dòng mài 动脉
bù mǎn quán shēn de xuè guǎn
布满全身的血管

46

认识 动脉

动脉有厚厚的可伸缩的血管内壁，它们富有弹性，能承受得住心脏收缩所产生的高压。

动脉负责把心脏输出的富含氧气的血液送到身体的各个部分。人体内最粗的动脉是连着心脏的主动脉，最细的动脉细得像缝衣线。

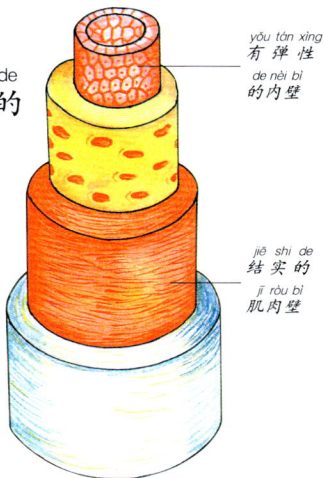

有弹性的内壁

结实的肌肉壁

动脉

认识 静脉

静脉是把血液从身体的各个部分运回心脏的血管的总称。由于血液流回静脉时已失去大部分压力，所以静脉的血管壁薄而松软。与动脉不同的是，静脉内壁长有控制血液单向流动的瓣膜。人体内最大的静脉是连着心脏的腔静脉。

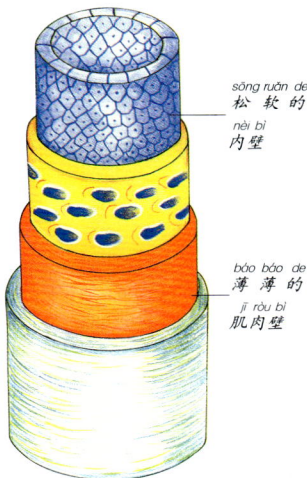

松软的内壁

薄薄的肌肉壁

静脉

遍布全身的毛细血管

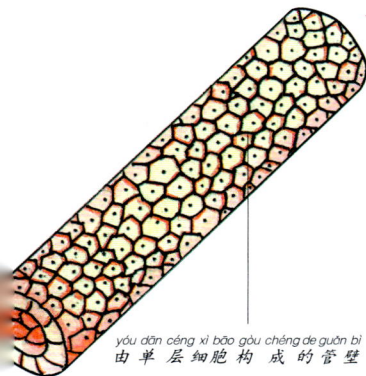

由单层细胞构成的管壁

毛细血管

毛细血管是连接动脉和静脉的小血管，遍布人体的各个组织。它们的直径很小，仅能容一个红细胞通过。毛细血管的血管壁很薄，由单层细胞构成，能使血液中的营养物质以及产生的废物通过。

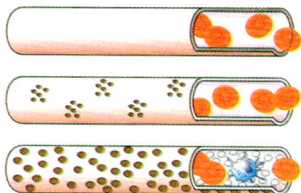

毛细血管的种类

tiào dòng de xīn zàng
跳 动 的心脏

nǐ zhī dào ma
你知道吗

yī shēng zài gěi bìng rén jiǎn chá
医生在给病人检查

shēn tǐ de shí hou cháng cháng huì gěi bìng
身体的时候，常常会给病

rén liáng xuè yā nǐ zhī dào xuè yā shì shén me ma
人量血压。你知道血压是什么吗？

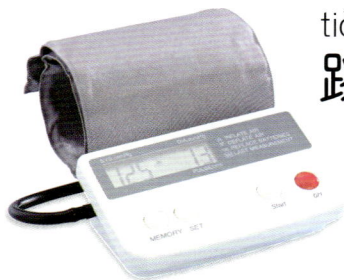

diàn zǐ xuè yā jì
电子血压计

fèi dòng mài
肺动脉

fèi jìng mài
肺静脉

zhǔ dòng mài
主动脉

shàng qiāng jìng mài
上腔静脉

yòu xīn fáng
右心房

bàn mó
瓣膜

yòu xīn shì
右心室

zuǒ xīn shì
左心室

xià qiāng jìng mài
下腔静脉

xīn zàng de jī běn jié gòu
心脏的基本结构

wǒ lái gào su nǐ
我来告诉你

dāng wǒ men gěi zì xíng chē lún tāi dǎ qì shí huì
当我们给自行车轮胎打气时会

gǎn dào chē tāi zhú jiàn biàn yìng le zhè shì chē tāi
感到车胎逐渐变硬了，这是车胎

nèi yā lì bù duàn zēng dà de jié guǒ rén de xīn zàng
内压力不断增大的结果。人的心脏

jiù xiàng dǎ qì tǒng xuè guǎn jiù xiàng chē tāi xīn
就像打气筒，血管就像车胎，心

zàng měi tiào dòng yī cì suǒ shè chū de xuè yè duì xuè
脏每跳动一次所射出的血液对血

guǎn bì chǎn shēng de yā lì jiù shì xuè yā
管壁产生的压力就是血压。

shū sòng xuè yè de bèng xīn zàng
输送血液的泵——心脏

nǐ bǎ ěr duo tiē zài bà ba xiōng bù de zuǒ
你把耳朵贴在爸爸胸部的左

xià fāng jiù kě yǐ tīng dào pū tōng pū tōng
下方，就可以听到"扑通扑通"

de shēng yīn zhè shì xīn zàng zài
的声音，这是心脏在

gōng zuò rén de xīn zàng yǒu
工作。人的心脏有

quán tou nà me dà yóu liǎng gè xīn fáng hé liǎng gè xīn shì
拳头那么大，由两个心房和两个心室

zǔ chéng lǐ miàn zhǎng zhe fáng zhǐ xuè yè dào liú de xīn
组成，里面长着防止血液倒流的心

zàng bàn mó xīn zàng xiàng ge bèng yī yàng bù tíng de shōu
脏瓣膜。心脏像个泵一样不停地收

suō hé shū zhāng shǐ xuè yè zài quán shēn liú dòng
缩和舒张，使血液在全身流动。

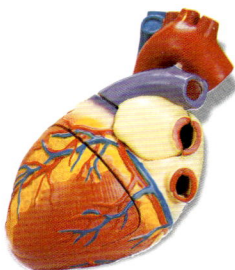

zuǒ xīn fáng
左心房

xīn zàng mó xíng
心脏模型

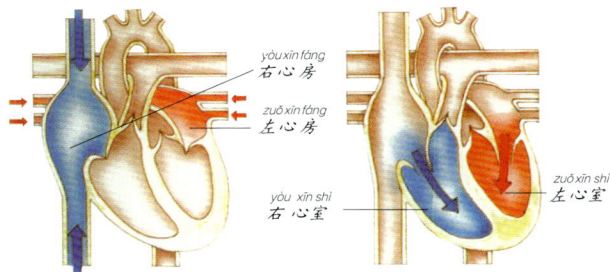
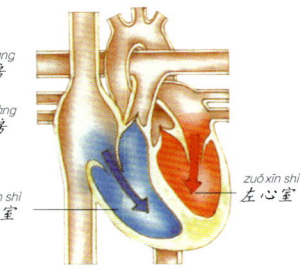
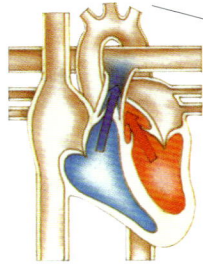
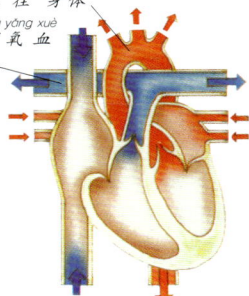

xīn zàng gōng zuò shì yì tú
心脏 工作示意图

右心房 yòu xīn fáng
左心房 zuǒ xīn fáng

右心室 yòu xīn shì
左心室 zuǒ xīn shì

lán sè yùn wǎng fèi de fá yǎng xuè
蓝色:运往肺的乏氧血

hóng sè yùn wǎng shēn tǐ gè chù de fù yǎng xuè
红色:运往身体各处的富氧血

xuè yè yǒng rù shū zhāng de xīn fáng
血液 涌入舒 张 的心房。

shōu suō bō jiāng xuè yè yā jìn xīn shì
收 缩波 将 血液 压进心室。

xuè yè cóng xīn shì yǒng chū jìn rù dòng mài
血液 从 心室涌出,进入动脉。

xuè yè chóng xīn chōng mǎn chù yú fàng sōng zhuàng tài de xīn fáng
血液 重 新 充 满处于放松 状 态的心房。

心脏如何工作
xīn zàng rú hé gōng zuò

人的心脏 像个勤劳的 "工人",从来不会停下来休息。当心肌收缩时,含有二氧 化碳的血液从 右心房压入右心室然后流经肺,血液中的二氧 化碳排出,氧气进入。富含氧气的血液再流经左心房、左心室,最后压入动脉。当 这些血液在流经全 身的血管后,再次变 成富含二氧 化碳的血液,在心脏舒 张 时涌入右心房,开始新的循环。

脉搏的来历
mài bó de lái lì

当心脏 收缩时,心室里的血液猛地朝 动脉血管里冲去,由于血管 腔较小,大量 血液冲进来会使血管壁扩 张;心脏 舒 张时,血液进入血管的速度较为缓慢,这时血 管壁借助自身较好的弹性进行回缩。心脏有节奏地收缩和舒 张,血 管壁也有节奏地扩 张、收缩,于是就有了脉搏。

cè liáng mài bó
测量脉搏

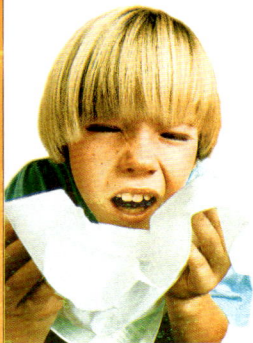

打喷嚏
dǎ pēn tì

bù tíng zhǐ de hū xī
不停止地呼吸

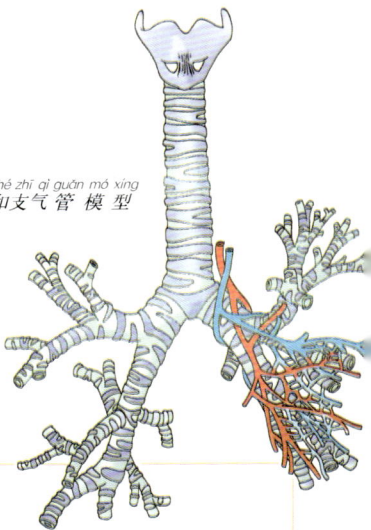

气管和支气管模型
qì guǎn hé zhī qì guǎn mó xíng

nǐ zhī dào ma
·你知道吗·

nǐ zài shàng kè de shí hou　yǒu shí huì hū rán tīng dào
你在 上 课的时候，有时会忽然听 到

ā　　tì　yì shēng　zhè shì yí gè xiǎo péng yǒu dǎ pēn
"阿——嚏" 一声，这是一个小 朋 友打喷

tì le　nǐ zhī dào rén wèi shén me huì dǎ pēn tì ma
嚏了。你知 道人为 什么会打喷嚏吗？

hū xī xì tǒng shì yì tú
呼吸系统 示意图

qì guǎn
气管

zhī qì guǎn
支气管

yòu fèi yè
右肺叶

zuǒ fèi yè
左肺叶

wǒ lái gào su nǐ
我来告诉你

rén de bí zi li yǒu xǔ duō líng mǐn de xì bāo dāng yǒu cì jī de dōng xi
人的鼻子里有许多 灵 敏的细胞，当 有刺激的东西
chōng jìn bí kǒng shí　xì bāo lì kè bǎ zhè ge qíng kuàng bào gào dà nǎo dà
冲 进鼻孔 时，细胞立刻把这个情 况 报告大脑，大
nǎo tōng guò fēn xī　jué dìng pài fèi yòng lì bǎ lǐ miàn de qì pēn chū qù yǐ
脑 通 过分析，决 定 派肺用 力把里面的气喷出去，以
biàn bǎ zhè xiē dōng xi chuī zǒu yú shì xiǎo péng yǒu jiù dǎ pēn tì le
便把这些东西吹走，于是，小 朋 友就打 喷嚏了。

wǒ men de hū xī xì tǒng
我 们的呼吸系 统

wǒ men de hū xī xì tǒng yóu liǎng bù fen zǔ chéng　yī bù fen shì
我们的呼吸系统 由 两部分组 成：一部分是
yùn sòng qì tǐ de hū xī dào　qí zhōng bāo kuò wèi yú liǎn bù zhōng yāng
运 送气体的呼吸道， 其 中 包 括位于脸部中 央
de bí zi　cháng　lí mǐ zuǒ yòu de guǎn dào　yān　yān xià bù
的鼻子、长 13厘米左 右的管 道——咽、咽下部
de hóu　yǔ hóu xiāng lián de qì guǎn yǐ jí qì guǎn xià fāng fēn chū de zhī
的喉、与喉 相 连的气管以及气管 下 方分出的支
qì guǎn　lìng yī bù fen shì jìn xíng qì tǐ jiāo huàn de fèi
气管；另一部分是进 行气体交 换的肺。

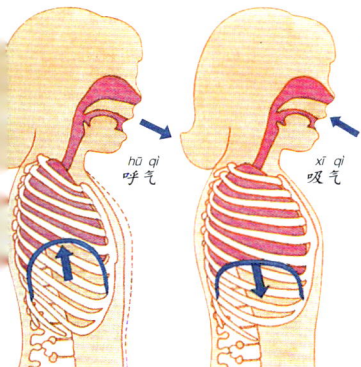

hū qì 呼气   xī qì 吸气

hū xī guò chéng shì yì tú
呼吸过程示意图

zhèng zài jìn xíng de hū xī
正在进行的呼吸

hū xī shì yóu hū xī dào　fèi　fèi xià miàn de héng gé mó
呼吸是由呼吸道、肺、肺下面的横膈膜

yǐ jí lèi gǔ gòng tóng wán chéng de　xī qì shí　lèi gǔ lóng qǐ
以及肋骨共同完成的。吸气时，肋骨隆起，

héng gé mó biàn píng　shǐ fèi yǒu kōng jiān jìn xíng kuò zhāng
横膈膜变平，使肺有空间进行扩张

bìng xī rù kōng qì　hū qì shí　lèi gǔ huí luò　héng gé mó
并吸入空气；呼气时，肋骨回落，横膈膜

shàng shēng kuò zhǎn de fèi yè tán huí　jiāng kōng qì pái chū
上升，扩展的肺叶弹回，将空气排出。

bù yóu zì zhǔ de dǎ hā qian
不由自主地打哈欠

dāng wǒ men gǎn dào pí láo huò zuò zài bù tōng qì de fáng jiān shí dōu huì bù yóu zì zhǔ de
当我们感到疲劳或坐在不通气的房间时都会不由自主地

dǎ hā qian　dǎ hā qian shì wǒ men zài hū xī guò chéng zhōng yì zhǒng cháng jiàn de xiàn xiàng　dǎ
打哈欠。打哈欠是我们在呼吸过程中一种常见的现象。打

hā qian kě yǐ gěi dà nǎo tí gōng gèng duō de yǎng qì　shǐ wǒ men de shēn tǐ gǎn jué gèng shū fu
哈欠可以给大脑提供更多的氧气，使我们的身体感觉更舒服。

yǒu de rén shuì jiào huì dǎ hū lu
有的人睡觉会打呼噜。

wèi shén me yǒu de rén huì dǎ hū lu
为什么有的人会打呼噜

rén shuì zháo yǐ hòu quán shēn de jī ròu
人睡着以后，全身的肌肉

biàn fàng sōng le　zhǎng zài hóu lóng kǒu de
便放松了。长在喉咙口的

xiǎo shé tou　yīn wèi fàng sōng zhèng hǎo dǎng
"小舌头"因为放松正好挡

zài sǎng zi yǎnr shang kōng qì de jìn chū shǐ tā chǎn shēng zhèn dòng jiù xíng chéng le hū
在"嗓子眼儿"上，空气的进出使它产生振动，就形成了呼

lu yì bān qíng kuàng xià lǎo nián rén yòng zuǐ hū xī de rén shuì jiào shí róng yì dǎ hū lu
噜。一般情况下，老年人、用嘴呼吸的人睡觉时容易打呼噜。

dǎ hā qian
打哈欠

gǎn mào shí bí zi bù tōng qì
感冒时鼻子不通气。

xiǎo bí zi zuò yòng dà
小鼻子作用大

nǐ zhī dào ma
·你知道吗·

huàn guò gǎn mào de xiǎo péng yǒu dà duō dōu yǒu tǐ
患过感冒的小朋友大多都有体
huì gǎn mào de shí hou bí zi jiù huì bù tōng qì nǐ
会，感冒的时候，鼻子就会不通气，你
zhī dào zhè shì wèi shén me ma
知道这是为什么吗？

wǒ lái gào su nǐ
我来告诉你

dāng nǐ gǎn mào de shí hou bí zi li de nián mó shòu dào bìng
当你感冒的时候，鼻子里的黏膜受到病
dú de cì jī jiù huì hóng zhǒng bǎ bí kǒng li xiá zhǎi ér yòu wān qū de
毒的刺激就会红肿，把鼻孔里狭窄而又弯曲的
qì dào gěi dǔ shàng le zhè shí nǐ jiù huì gǎn dào bí zi bù tōng qì
"气道"给堵上了，这时你就会感到鼻子不通气。

bí zi
鼻子

wǒ men de bí zi hǎo xiàng yī jiān qián hòu méi yǒu mén de xiǎo fáng
我们的鼻子好像一间前后没有门的小房
zi qián mian tōng xiàng bí kǒng hòu mian tōng xiàng yān hóu dāng zhōng
子，前面通向鼻孔，后面通向咽喉，当中
yǒu kuài gé bǎn bǎ bí zi fēn wéi zuǒ yòu liǎng xiǎo jiān zhěng gè xiǎo fáng
有块隔板，把鼻子分为左右两小间。整个小房
zi jiào zuò bí qiāng zhè liǎng xiǎo jiān jiù shì hū xī de tōng dào zài kōng qì
子叫作鼻腔，这两小间就是呼吸的通道。在空气
jìn rù fèi zhī qián bí zi néng bǎ kōng qì biàn de wēn nuǎn jié jìng cháo shī
进入肺之前，鼻子能把空气变得温暖、洁净、潮湿。

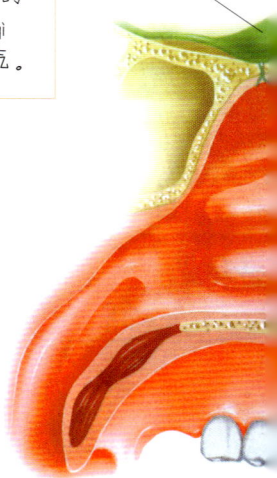

xiù qiú
嗅球

bí zi de nèi bù
鼻子的内部

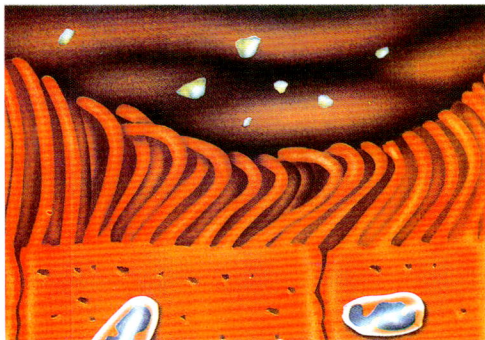

bí zǐ li de bí máo huì zhān zhù huī chén
鼻子里的鼻毛会粘住灰尘。

鼻涕是哪里来的
bí tì shì nǎ li lái de

也许你看到过有的小朋友流鼻涕，人的鼻
yě xǔ nǐ kàn dào guò yǒu de xiǎo péng yǒu liú bí tì   rén de bí

涕是从哪里来的呢？原来，人的鼻孔里有一层
tì shì cóng nǎ li lái de ne   yuán lái   rén de bí kǒng li yǒu yī céng

黏膜，鼻涕就是这层黏膜制造的。而且，鼻
nián mó   bí tì jiù shì zhè céng nián mó zhì zào de   ér qiě   bí

子和眼睛之间有一条通道，所以，你一哭的时
zi hé yǎn jing zhī jiān yǒu yī tiáo tōng dào   suǒ yǐ   nǐ yī kū de shí

候，鼻子里也会有鼻涕。
hou   bí zi li yě huì yǒu bí tì

有用的鼻毛
yǒu yòng de bí máo

鼻孔里的鼻毛对人体是很有用的。当
bí kǒng li de bí máo duì rén tǐ shì hěn yǒu yòng de   dāng

人呼吸时，它就像一个忠实的卫士，对空气进
rén hū xī shí   tā jiù xiàng yī gè zhōng shí de wèi shì   duì kōng qì jìn

行仔细地过滤，把灰尘挡在外面，保证肺部和
xíng zǐ xì de guò lǜ   bǎ huī chén dǎng zài wài mian   bǎo zhèng fèi bù hé

气管以及支气管的清洁，防止它
qì guǎn yǐ jí zhī qì guǎn de qīng jié   fáng zhǐ tā

们被病菌侵害。
men bèi bìng jūn qīn hài

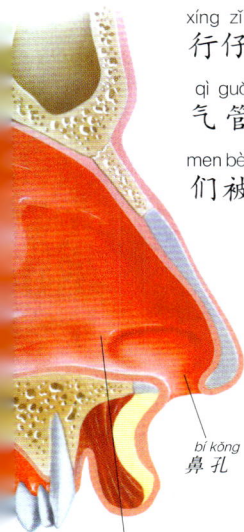

bí kǒng
鼻孔

bí nèi de nián mó
鼻内的黏膜

kū qì shí huì liú bí tì
哭泣时会流鼻涕。

鼻涕有用处吗
bí tì yǒu yòng chù ma

鼻涕虽然很脏，但它却很有用处。它不仅可以保持鼻腔的湿润，还
bí tì suī rán hěn zāng dàn tā què hěn yǒu yòng chù   tā bù jǐn kě yǐ bǎo chí bí qiāng de shī rùn   hái

能将许多空气里的灰尘和细菌粘在上面。有的人睡觉时喜欢
néng jiāng xǔ duō kōng qì li de huī chén hé xì jūn zhān zài shàng mian   yǒu de rén shuì jiào shí xǐ huan

用嘴巴呼吸，这是一个不好的习惯，因为这样会使病菌进入呼吸道。
yòng zuǐ ba hū xī   zhè shì yī gè bù hǎo de xí guàn yīn wèi zhè yàng huì shǐ bìng jūn jìn rù hū xī dào

máng lù de fèi
忙碌的肺

dòng shǒu zuò
·动手做·

xiǎng zhī dào nǐ de fèi li kě zhuāng duō shǎo kōng qì ma   shēn xī yī kǒu
想知道你的肺里可装多少空气吗？深吸一口

qì hòu chuī qì qiú   zhí dào jiāng zhè kǒu qì chuī wán   liáng yī liáng qì qiú yǒu duō
气后吹气球，直到将这口气吹完。量一量气球有多

dà   qì qiú de dà xiǎo   dà yuē jiù shì nǐ fèi bù kōng qì liàng de yī bàn
大。气球的大小，大约就是你肺部空气量的一半。

zhòng yào de fèi
重要的肺

fèi wèi yú rén de
肺位于人的

xiōng bù   āi zhe xīn zàng   fēn wéi zuǒ
胸部，挨着心脏，分为左

fèi hé yòu fèi   tā men xiàng liǎng gè
肺和右肺，它们像两个

dà dà de   hǎi mián yī yàng de dài zi
大大的、海绵一样的袋子。

měi gè fèi li dōu bāo hán zhe xǔ duō gè
每个肺里都包含着许多个

wēi xiǎo de fèi pào   dāng nǐ xī qì de
微小的肺泡。当你吸气的

shí hou   fèi bù chōng mǎn le kōng qì
时候，肺部充满了空气，

dāng nǐ hū qì de shí hou   fèi bù de
当你呼气的时候，肺部的

kōng qì jiù shǎo le xǔ duō
空气就少了许多。

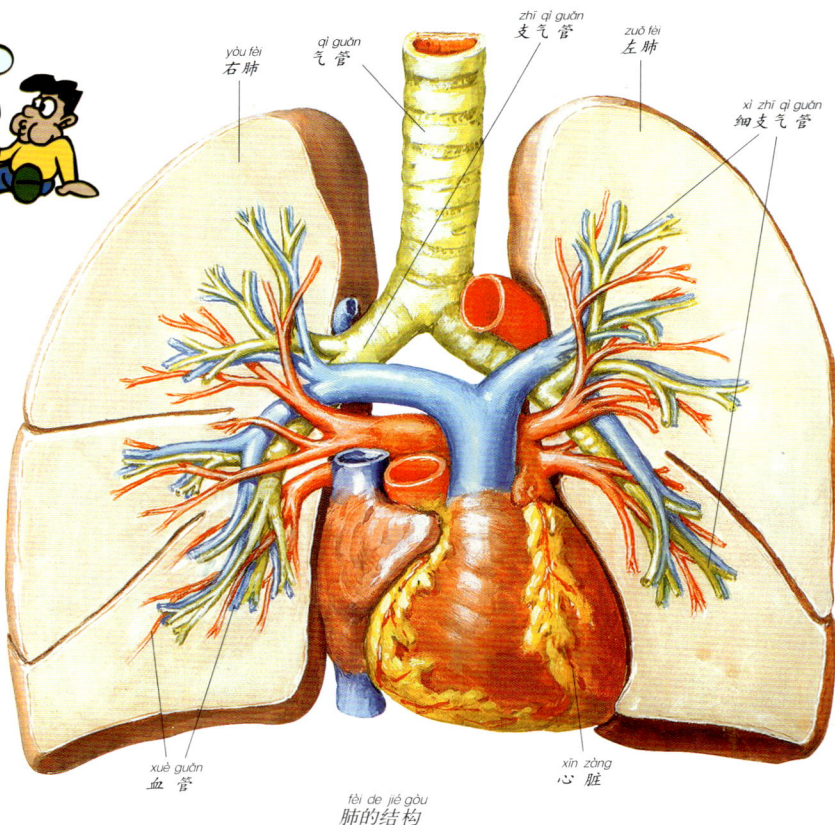

yòu fèi
右肺

qì guǎn
气管

zhī qì guǎn
支气管

zuǒ fèi
左肺

xì zhī qì guǎn
细支气管

xuè guǎn
血管

xīn zàng
心脏

fèi de jié gòu
肺的结构

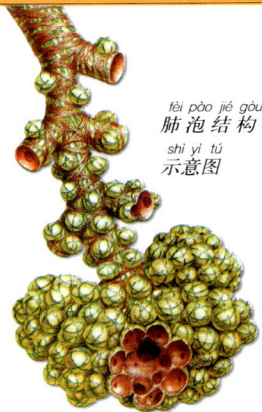

fèi pào jié gòu
肺泡结构
shì yì tú
示意图

fèi shì zěn yàng gōng zuò de
肺是怎样工作的

qì guǎn zài fèi bù fēn liè chéng liǎng gè zhī qì guǎn zhī qì guǎn yòu fēn chū xǔ duō jiào zuò
气管在肺部分裂成两个支气管,支气管又分出许多叫作

xì zhī qì guǎn de xì xiǎo guǎn zi shēn jìn fèi li xì zhī qì guǎn de mò duān lián jiē zhe fèi pào
细支气管的细小管子伸进肺里,细支气管的末端连接着肺泡,

dāng xī rù fèi de yǎng qì dào dá fèi pào shí yǎng qì jīng guò fèi pào bì jìn rù xuè yè xuè yè
当吸入肺的氧气到达肺泡时,氧气经过肺泡壁进入血液,血液

zhōng de èr yǎng huà tàn pái rù fèi pào
中的二氧化碳排入肺泡。

---

hū qì shí hū chū le fèi nèi de quán bù kōng qì ma
呼气时呼出了肺内的全部空气吗

zuò zhe huò zhàn zhe shí wǒ men hū xī jǐn yòng le fèi nèi kōng qì de zuǒ yòu jìn xíng
坐着或站着时,我们呼吸仅用了肺内空气的10%左右。进行

huó dòng liàng dà de yùn dòng shí zhè gè shù zì kě dá dào zuǒ yòu bù guǎn zěn yàng wǒ men
活动量大的运动时,这个数字可达到30%左右。不管怎样,我们

fèi nèi dōu yǒu yuē de qì tǐ bù néng pái chū tā yào wéi chí fèi pào de kuò zhāng zhuàng tài
肺内都有约20%的气体不能排出,它要维持肺泡的扩张状态。

---

zài fèi bù wán chéng de hū xī guò chéng
在肺部完成的呼吸过程

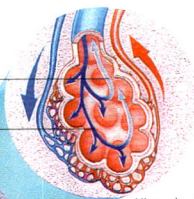

jiāng yào pái chū de èr yǎng huà tàn
将要排出的二氧化碳

xī rù de yǎng qì
吸入的氧气

fèi pào
肺泡

fèi
肺

wēi miào de fèi pào
微妙的肺泡

fèi pào shì fèi lǐ miàn fēi cháng wēi
肺泡是肺里面非常微

xiǎo de kōng qì náng zài rén tǐ de fèi lǐ yǒu
小的空气囊,在人体的肺里有 3

yì duō gè fèi pào ruò jiāng tā men quán bù zhǎn píng miàn
亿多个肺泡,若将它们全部展平,面

jī bǐ yī gè wǎng qiú chǎng de yī bàn hái yào dà fèi pào bì fēi cháng
积比一个网球场的一半还要大。肺泡壁非常

báo yǒu lì yú qì tǐ tōng guò suǒ yǒu de fèi pào dōu yóu wēi xiǎo
薄,有利于气体通过。所有的肺泡都由微小

de xuè guǎn wǎng bāo wéi zhe
的血管网包围着。

chuī yuè qì méi yǒu yòng jìn fèi li de kōng qì
吹乐器没有用尽肺里的空气。

fā chū shēng yīn
发出 声音

dòng shǒu zuò
·动 手 做·

准备一个系着 口 并且 充 满气的气球，把气球 口 边
的 绳 子解开，当 空气从气球 中 放出的时候，气球嘴儿
会 振 动 并且 发出 很大 的 声音。同 样，人发出 声音也
是 声带 振 动 的 结果。

声带在正常呼吸时是开启着的

声带

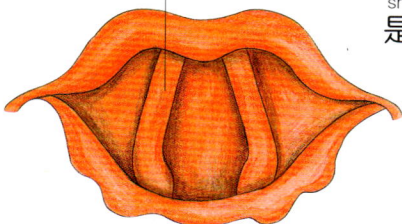

shēng dài
声带

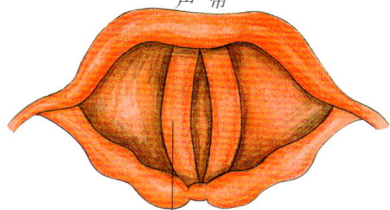

声带在说话和唱歌时是关闭着的

shēng dài
声 带

我们的喉部好 像一个盒子，上 面 有 两 根 像皮
筋一样的声 带，声 带的上 下端是
连在一起的。婴儿的声 带只有6毫
米 长，女性的声 带大约有 20 毫米
长，男性的声 带大约有30毫米 长。

shēng yīn de xíng chéng
声 音 的 形 成

从肺里挤压出来的空 气通 过 声带时，声 带 产 生 振 动，就
发出了声音。声 带本 身 发出的声音是模糊不清的，是我们的嘴唇、
牙齿、舌头和面颊使声音变 成 清晰的语言和清楚的声音。

fā chū shēng yīn
发出 声音

为什么爸爸和妈妈的声音不一样
wèi shén me bà ba hé mā ma de shēng yīn bù yī yàng

男性的声带不仅比女性的声带长，而且比女性的声带厚。当气流通过他们的声带时，男性的声带就比女性的声带振动得慢，因此，男性的声音往往比女性的声音低沉。

特殊的声音
tè shū de shēng yīn

除了语言外，声带还可以发出其他的声音，如笑声、哭声、抽泣声、哼哼声等，这些声音都叫作发声。当婴儿还不会说话的时候，他们会发出咿呀学语的声音，很讨人喜欢。

噢？爸爸妈妈的声音怎么不一样呢？
yí bà ba mā ma de shēng yīn zèn me bù yī yàng ne

人笑的时候会发出笑声。
rén xiào de shí hou huì fā chū xiào shēng

小孩儿学说话。
xiǎo hái ér xué shuō huà

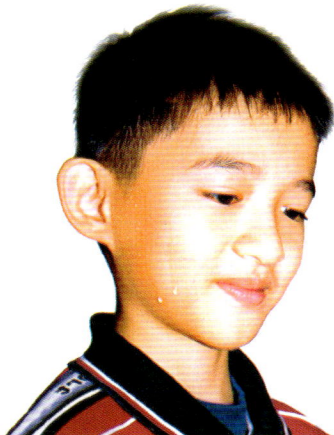

出汗是很常见的现象。

qīng chú fèi wù
清除废物

nǐ zhī dào ma
你知道吗

我们每天都会吃进去很多食物，在消化食物的过程中，会产生很多废物，汗就是其中的一种，你知道出汗是怎么回事吗？

wǒ lái gào su nǐ
我来告诉你

出汗是一种常见现象，你可能已经发现，汗是从皮肤上渗出来的。原来，皮肤里有很多可以产生汗水的汗腺，当你在天热的时候或因做运动体温过高时，汗就会从皮肤里流出来。因为汗水中含有一些溶解的废弃物质，所以说皮肤能帮助你排除废物。

pái xiè qì guān
排泄器官

排泄器官用来排泄人体内产生的废物，它们分别是用于排出二氧化碳的肺、用于过滤血液并形成尿的肾脏、用于排除体内有害物质的肝脏和人体外表的皮肤。它们将人体内产生的废物清除到体外，使人不受废物的侵害，健康地生活。

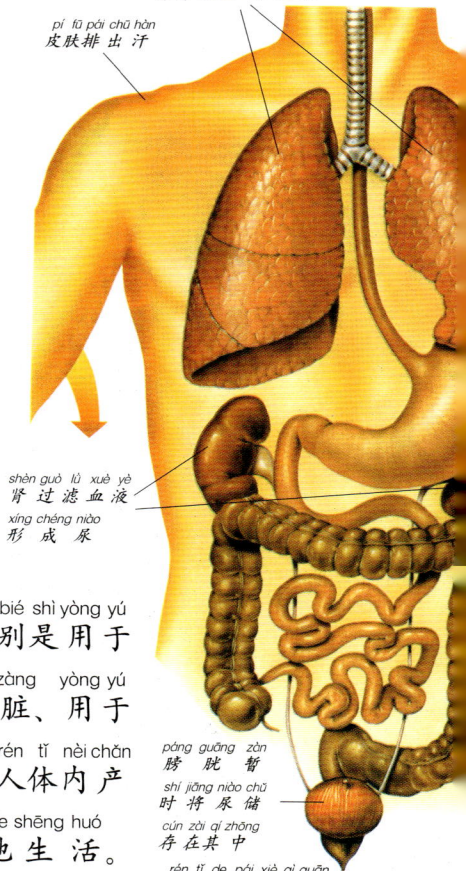

肺排出二氧化碳

皮肤排出汗

肾过滤血液
形成尿

膀胱暂时将尿储存在其中

人体的排泄器官

人体排出的废物
rén tǐ pái chū de fèi wù

人体的废物主要有三种，它们分别是废渣、废液和废气。废渣就是大便；废液包括尿和汗；废气是二氧化碳。这三种废物的来源完全不同。大便是消化过程的最后残余物，

我们呼出的废气是二氧化碳。

由肛门排出。尿来自于膀胱，里面有很多被溶解的废物。汗水是从皮肤里流出来的。二氧化碳这种废气是肺里产生的，最后能经过鼻子排出体外。

水分平衡
shuǐ fèn píng héng

水是排泄过程中携带废物的重要物质，保持体内的水分平衡很重要。水分平衡就是说正常的身体每天摄入4升水，被排出体外的水也相当于4升。不同的季节身体对水的需求量和排出量有很大的差别。这种情况下，即使摄入的水和排出的水不平衡，人也不会感到身体不适。

放大的一小片皮肤

出汗时要及时喝水。

尿是怎样产生的
niào shì zěn yàng chǎn shēng de

你知道吗
nǐ zhī dào ma

yǒu shí hou nǐ wán yóu xì huò kàn diàn shì zhèng gāo
有时候，你玩游戏或看电视正高

xìng xiǎng xiǎo biàn dàn lǎn de qù mā ma jiù huì shuō bù
兴，想小便但懒得去，妈妈就会说不

néng biē niào nǐ zhī dào rén wèi shén me bù
能憋尿。你知道人为什么不

néng biē niào ma
能憋尿吗？

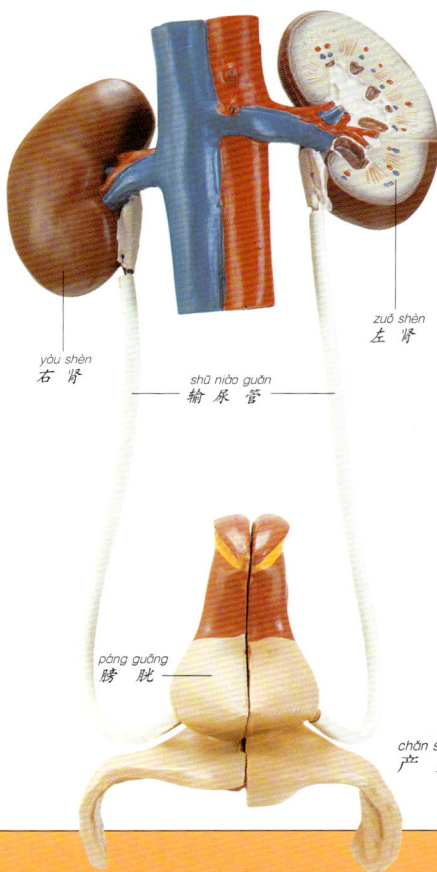

yǒu shèn
右肾

zuǒ shèn
左肾

shū niào guǎn
输尿管

páng guāng
膀胱

chǎn shēng niào de qì guān
产生尿的器官

我来告诉你
wǒ lái gào su nǐ

rú guǒ yǒu niào ér biē zhe bù niào chǔ cún niào de qì guān jiù huì fā zhàng
如果有尿而憋着不尿，储存尿的器官就会发胀、

téng tòng cháng qī biē niào kě néng huì yǐn qǐ niào pín niào jí zhèng niào pín jiù shì
疼痛。长期憋尿可能会引起尿频、尿急症。尿频就是

lǎo xiǎng xiǎo biàn niào jí jiù shì shàng cè suǒ màn yī diǎnr jiù huì niào dào kù zi
老想小便，尿急就是上厕所慢一点儿就会尿到裤子

shang zhè duō má fan suǒ yǐ xiǎo péng yǒu men qiān wàn bù yào biē niào
上，这多麻烦！所以，小朋友们千万不要憋尿。

勤劳的肾脏
qín láo de shèn zàng

zài wǒ men yāo bù jǐ zhù de liǎng biān yǒu yī duì quán tou dà xiǎo xíng
在我们腰部脊柱的两边，有一对拳头大小、形

zhuàng xiàng cán dòu yī yàng de qì guān nà jiù shì shèn zàng shèn zàng
状像"蚕豆"一样的器官，那就是肾脏。肾脏

nèi yǒu jǐ bǎi wàn gè wēi xiǎo de guò lǜ qì shèn dān wèi tā men bù tíng
内有几百万个微小的过滤器——肾单位，它们不停

de cóng xuè yè zhōng chú qù fèi wù hé fèi shuǐ bìng jiāng qīng jié hòu de xuè
地从血液中除去废物和废水，并将清洁后的血

yè sòng huí xuè guǎn zhè xiē bèi chú qù de fèi wù hé fèi shuǐ jiù shì niào
液送回血管。这些被除去的废物和废水就是尿。

尿是怎样排出体外的

肾脏将过滤出的尿通过输尿管储存到像透明塑料袋一样的膀胱里，膀胱下面有一根叫作尿道的管道通向体外，在靠近尿道出口的地方，有一束像小闸门一样的肌肉，当膀胱存满尿时，大脑就发出命令："快打开小闸门！"这样，尿就被排出去了。

排尿

为什么冬天小便的次数比夏天的多

冬天天气冷，人出的汗少了，身体里需要的水分也不那么多了，这就使身体需要排出的尿增多，小便的次数也多。夏天正好相反，出汗多，身体里需要的水分也多，所以，尿就少，小便的次数也少。

尿为什么是黄色的

在我们排出的尿里，除了水分外，还有许多溶在尿液中呈黄颜色的废物。如果你喝的水少，进入尿里的水分也少，尿就会变得很黄。另外，有些药物也会把黄颜色带到尿中，如果你吃了这些药，尿也会发黄。

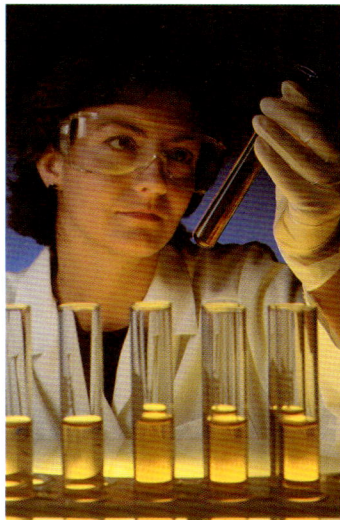

医生在检测尿液。

bìng jūn xiū xiǎng qīn fàn wǒ
病菌休想侵犯我

nǐ zhī dào ma
·你知道吗·

wǒ men de shēn tǐ lǐ néng chǎn shēng hěn duō běn lǐng gāo
我们的身体里能产生很多本领高
qiáng de shā jūn xì bāo   tā men néng fā xiàn wǒ men ròu yǎn kàn bù jiàn
强的杀菌细胞，它们能发现我们肉眼看不见
de bìng jūn   bìng bǎ tā men xiāo miè diào   jiù xiàng rén tǐ de wèi
的病菌，并把它们消灭掉，就像人体的卫
shì yī yàng zài àn zhōng bǎo hù zhe wǒ men   nǐ zhī dào shēn tǐ lǐ
士一样在暗中保护着我们。你知道身体里
de nǎ xiē qì guān néng chǎn shēng shā jūn xì bāo ma
的哪些器官能产生杀菌细胞吗？

A. gǔ suǐ   B. xiōng xiàn   C. lín bā jié   D. pí
A. 骨髓　B. 胸腺　C. 淋巴结　D. 脾

nǐ de dá àn
你的答案（　）

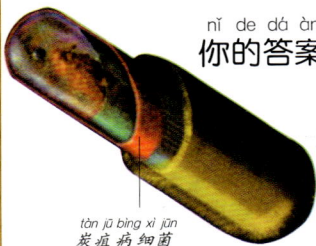

shēn tǐ lǐ de shā jūn xì bāo néng shǐ wǒ men bù shòu bìng jūn qīn hài
身体里的杀菌细胞能使我们不受病菌侵害。

zài xiǎn wēi jìng xià guān
在显微镜下观
chá dào de xì jūn
察到的细菌。

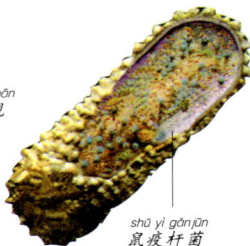

tàn jū bìng xì jūn
炭疽病细菌

shǔ yì gǎn jūn
鼠疫杆菌

hǎo xì jūn hé huài xì jūn
好细菌和坏细菌

xì jūn shì ròu yǎn kàn bù jiàn de wēi shēng wù   yǒu de xì jūn duì
细菌是肉眼看不见的微生物，有的细菌对
rén tǐ yǒu yì   lì rú zài nǐ de cháng dào lǐ de rǔ suān gǎn jūn   dàn
人体有益，例如在你的肠道里的乳酸杆菌。但
dà duō shù xì jūn dōu duì nǐ yǒu hài   kě néng huì shǐ nǐ gǎn rǎn   ràng nǐ
大多数细菌都对你有害，可能会使你感染，让你
dé bìng   wǒ men tōng cháng bǎ zhè xiē huài xì jūn chēng wéi bìng jūn
得病，我们通常把这些坏细菌称为病菌。

wǒ lái gào su nǐ
我来告诉你

rú guǒ nǐ bǎ sì xiàng quán xuǎn de
如果你把四项全选的
huà   nà jiù gōng xǐ nǐ   dá duì le
话，那就恭喜你——答对了！
zhè xiē qì guān lǐ dōu néng chǎn shēng gè
这些器官里都能产生各
zhōng běn lǐng gāo qiáng de shā jūn xì
种本领高强的杀菌细
bāo yǒu le tā men de bǎo hù wǒ men de
胞，有了它们的保护，我们的
shēn tǐ jiù bù huì nà me qīng yì de shòu
身体就不会那么轻易地受
dào bìng jūn de qīn hài le
到病菌的侵害了。

脾的功能
pí de gōng néng

脾像一个压扁了的拳头。
pí xiàng yí gè yā biǎn le de quán tou

脾在人的左肋下，形状像一个压扁了的拳头。你也许会认为脾是用来发脾气的，但这种看法是错误的。脾不仅是人体内最大的一个能产生杀菌细胞的重要器官，在人的胎儿期，它还是重要的造血器官呢！

伤口为什么会红肿化脓
shāng kǒu wèi shén me huì hóng zhǒng huà nóng

当身体受伤后，病菌就会从伤口进入人体捣乱，大脑得到这个信息，马上发布命令，让血液里的白细胞去消灭这些坏蛋。红肿的地方就是白细胞和病菌格斗的战场。如果双方伤亡惨重，它们的尸体就化成了脓液。

受伤的身体部位会红肿。
shòu shāng de shēn tǐ bù wèi huì hóng zhǒng

保护我们的疫苗
bǎo hù wǒ men de yì miáo

虽然我们的身体里有很多卫士，但是它们有时候也打不过一些特别坏的病菌。为了防止这些病菌伤害我们的身体，医生们精心研制出能消灭这些病菌的药物，这就是疫苗。

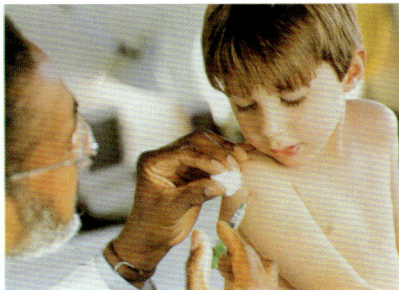
打疫苗
dǎ yì miáo

liǎo bù qǐ de shén jīng
了不起的神经

脑 nǎo

脊髓 jǐ suǐ

nǐ zhī dào ma
·你知道吗·

dāng nǐ bù xiǎo xīn kē pò le diǎnr pí huò
当你不小心磕破了点儿皮或

bèi shuǐ tàng le yī xià de shí hou　nǐ huì gǎn
被水烫了一下的时候，你会感

dào téng tòng　nǐ zhī dào wèi shén me rén zài shēn tǐ
到疼痛，你知道为什么人在身体

shòu dào shāng hài shí huì gǎn dào téng ma
受到伤害时会感到疼吗？

yāo niǔ shāng le hěn téng
腰扭伤了很疼。

wǒ lái gào su nǐ
我来告诉你

zài wǒ men de shēn tǐ lǐ miàn　yǒu hěn duō zhuān mén jiē shōu
在我们的身体里面，有很多专门接收

téng tòng xìn hào de shén jīng xì bāo　tā men shōu dào xìn hào hòu　jiù
疼痛信号的神经细胞，它们收到信号后，就

mǎ shàng chuán gěi nǎo　wǒ men jiù zhī dào nǎ li téng le
马上传给脑，我们就知道哪里疼了。

shén jīng 神经

shén jīng xì tǒng shì zěn me huí shì
神经系统是怎么回事

shén jīng xì tǒng bāo kuò nǎo　shén jīng hé jǐ suǐ sān gè bù fen　nǎo shì kòng zhì zhōng
神经系统包括脑、神经和脊髓三个部分。脑是控制中

xīn　fù zé jiē shòu xìn xī　fēn lèi bìng chǔ cún xìn xī yǐ jí fā chū zhǐ lìng　shén jīng biàn bù
心，负责接受信息、分类并储存信息以及发出指令。神经遍布

quán shēn　gòu chéng shén jīng wǎng luò　fù zé chuán dì xìn xī　jǐ suǐ shì jiāng shén jīng
全身，构成神经网络，负责传递信息。脊髓是将神经

yǔ nǎo xiāng lián de xìn xī gāo sù gōng lù
与脑相连的信息高速公路。

shén jīng xì tǒng
神经系统

神经内部

神经由许多束神经纤维组成，被神经鞘包着。其中的每一根神经都由很长很细的神经细胞构成。神经细胞将各种感觉传递给脑，我们就能感觉到事物，并按自己的意愿做事了。

神经纤维

神经结构示意图

神经鞘

有益的反射行为

人不假思索就做出的某种行为叫反射行为。例如，当手触到很烫的东西时，你不假思索就把手缩了回来。大多数反射是由脊髓控制的，与脑几乎一点关系也没有。反射是有益的，因为它能保护你免受伤害。

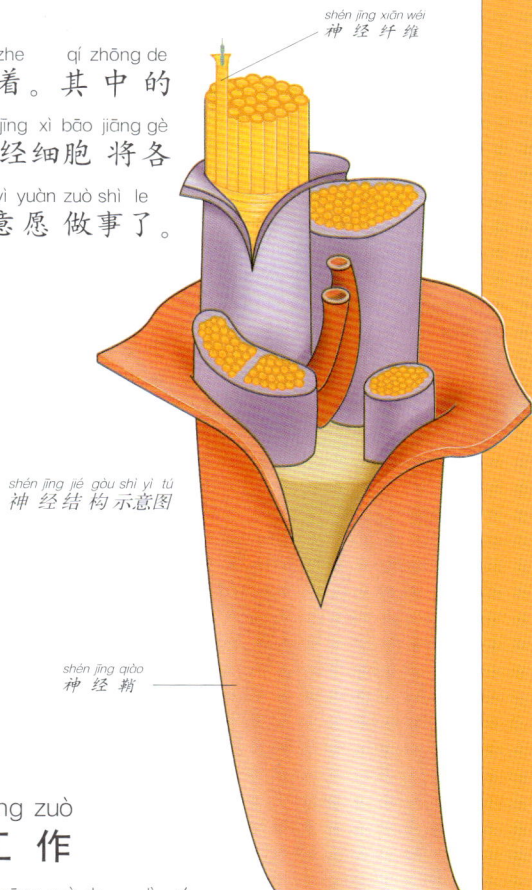

神经怎样工作

神经是这样工作的：例如，当你的眼睛看到桌上放着一盘可口的饭菜时，鼻子也闻到了饭菜的香味，位于眼睛和鼻子里的神经就传递信息给脑，脑发出指令告诉手："拿起来开始吃！"你就吃到饭菜了。

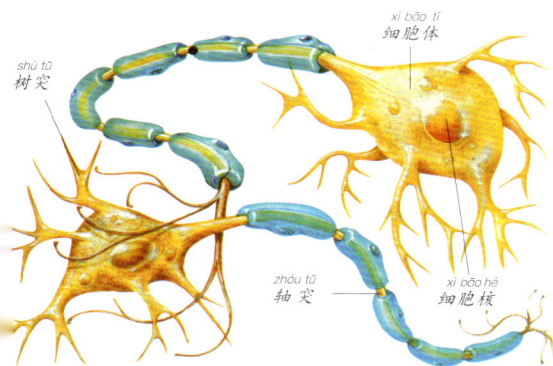
细胞体
树突
轴突
细胞核
神经细胞结构示意图

fēn gōng hé zuò de nǎo
分工合作的脑

nǐ zhī dào ma
·你知道吗·

mā ma ràng nǐ xué gè zhǒng gè yàng de zhī shi　dāng nǐ shí zài bù xiǎng
妈妈让你学各种各样的知识，当你实在不想

xué de shí hou　　mā ma jiù huì shuō　xué xí méi yǒu huài chù　nǎo zi yuè yòng
学的时候，妈妈就会说，学习没有坏处，脑子越用

yuè líng　　nǐ zhī dào nǎo zi wèi shén me yuè yòng yuè líng ma
越灵。你知道脑子为什么越用越灵吗?

nǎo zi yuè yòng yuè líng
脑子越用越灵。

nǎo de zhǔ yào bù fen
脑的主要部分

xiǎo nǎo
小脑

dà nǎo
大脑

nǎo gàn
脑干

wǒ lái gào su nǐ
我来告诉你

yīn wèi rén zài yòng nǎo guò chéng zhōng　nǎo xuè guǎn
因为人在用脑过程中，脑血管

gōng xiě chōng zú　jīng cháng chǔ yú shū zhǎn zhuàng tài　zhè
供血充足，经常处于舒展状态，这

yàng nǎo shén jīng xì bāo jiù huì dé dào chōng zú de yíng yǎng
样脑神经细胞就会得到充足的营养，

cóng ér shǐ nǎo zi gèng jiā fā dá　shǐ rén gèng jiā jī ling
从而使脑子更加发达，使人更加机灵。

qiǎo miào de nǎo bù gòu zào
巧妙的脑部构造

nǎo shì rén tǐ de kòng zhì zhōng xīn　bèi jiān yìng de lú gǔ
脑是人体的控制中心，被坚硬的颅骨

bǎo hù zhe　　yī yòng sǎo miáo yí kě yǐ zài bù dǎ kāi lú gǔ de qíng
保护着。医用扫描仪可以在不打开颅骨的情

kuàng xià kàn dào nǎo de nèi bù jié gòu　nǎo yóu sān bù fen zǔ chéng
况下看到脑的内部结构。脑由三部分组成，

tā men fēn bié shì dà nǎo　xiǎo nǎo hé nǎo gàn　　gè bù fen dōu yǒu jīng xì
它们分别是大脑、小脑和脑干。各部分都有精细

ér fù zá de gōng néng　qí zhōng yǐ dà nǎo de gōng néng zuì wéi zhòng yào
而复杂的功能，其中以大脑的功能最为重要。

shén qí de nǎo bù gōng néng
神奇的脑部功能

大脑分为左右两个半球。左半球控
dà nǎo fēn wéi zuǒ yòu liǎng gè bàn qiú zuǒ bàn qiú kòng

制身体右侧，并负责语言、数字和解决
zhì shēn tǐ yòu cè bìng fù zé yǔ yán shù zì hé jiě jué

问题；右半球控制身体左侧，并负责
wèn tí yòu bàn qiú kòng zhì shēn tǐ zuǒ cè bìng fù zé

音乐、艺术和创造性
yīn yuè yì shù hé chuàng zào xìng

活动。小脑在脑的后
huó dòng xiǎo nǎo zài nǎo de hòu

部，负责保持身体
bù fù zé bǎo chí shēn tǐ

平衡和动作流
píng héng hé dòng zuò liú

畅。脑干
chàng nǎo gàn

则控制呼吸和心
zé kòng zhì hū xī hé xīn

跳速度。
tiào sù dù

wǒ jì zhe ne jiù zài zhè lǐ
我记着呢，就在这里！

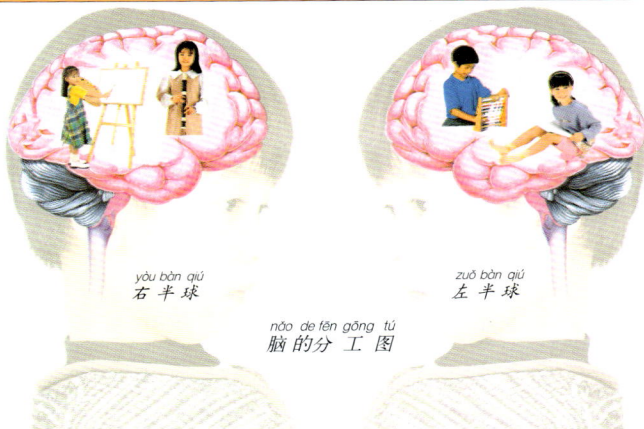

yòu bàn qiú
右半球

zuǒ bàn qiú
左半球

nǎo de fēn gōng tú
脑的分工图

dà nǎo chǎn shēng jì yì de ào mì
大脑产生记忆的奥秘

大脑由许许多多的神经细胞组
dà nǎo yóu xǔ xǔ duō duō de shén jīng xì bāo zǔ

成，我们每天听到或看到的事情
chéng wǒ men měi tiān tīng dào huò kàn dào de shì qing

会变成一种信号，对大脑的神经
huì biàn chéng yī zhǒng xìn hào duì dà nǎo de shén jīng

细胞产生刺激，在大脑中留下印
xì bāo chǎn shēng cì jī zài dà nǎo zhōng liú xià yìn

象。刺激越强烈，大脑里留下的印
xiàng cì jī yuè qiáng liè dà nǎo li liú xià de yìn

象就越深刻。大脑就是这样把事
xiàng jiù yuè shēn kè dà nǎo jiù shì zhè yàng bǎ shì

情记住的。
qíng jì zhù de

nǎo de bǐ jiào
脑的比较

动物都具有不同形状和不同大小的
dòng wù dōu jù yǒu bù tóng xíng zhuàng hé bù tóng dà xiǎo de

脑。有些动物的脑比人类的脑大，如海豚、大象
nǎo yǒu xiē dòng wù de nǎo bǐ rén lèi de nǎo dà rú hǎi tún dà xiàng

和鲸。其中，大象的脑重量是人脑重量
hé jīng qí zhōng dà xiàng de nǎo zhòng liàng shì rén nǎo zhòng liàng

的四倍。但是人脑重量占体重的比例却比
de sì bèi dàn shì rén nǎo zhòng liàng zhàn tǐ zhòng de bǐ lì què bǐ

任何其他动物占自身体重的比例大得多。
rèn hé qí tā dòng wù zhàn zì shēn tǐ zhòng de bǐ lì dà de duō

nǎo de bǐ jiào
脑的比较

rén nǎo
人脑

hǎi tún nǎo
海豚脑

yuán nǎo
猿脑

niǎo nǎo
鸟脑

shé nǎo
蛇脑

yú nǎo
鱼脑

嘘！别吵醒他

你知道吗

晚上，妈妈一般都不让你看电视看得太晚或在睡前做一些过于剧烈的运动，你认为妈妈这么做有道理吗？为什么？

睡前不要做剧烈运动。

我来告诉你

妈妈这样做是有道理的。因为睡眠的过程是一个人体由动入静的过程，如果睡前过于兴奋，上床后就迟迟不能入睡，这样一来，便耽误了正常的休息时间。

人为什么要睡觉

经过一天的学习和工作，身体会感到疲劳，特别是脑细胞，更需要休息，所以人每天都需要睡觉。睡觉不但具有保护脑细胞的作用，而且能使身体获得消除疲劳的机会，为第二天的工作和学习作好准备。

人睡觉是为了休息。

睡眠时间

健康的成人，一天需要 6～8小时的睡眠时间，但对于孩子来说，由于身体还处于成长阶段，所以需要较多的睡眠时间。学龄前儿童一般以每晚睡眠12小时为宜，小学生一般要睡10小时左右。

人的睡眠时间各不相同。

睡得很香的小孩

为什么人在下雨时想睡觉

现代医学证明，当人的大脑皮层受到单一的、有节奏的长时间刺激后，会引起困倦。因此，下雨时，听到雨滴有节奏的声音，人就会想睡觉，一旦睡着就会睡得很香。

千奇百怪的梦

梦是白天存留在心里的事，在睡觉时表现出来的一种幻象。例如，我们白天思考或想要做某些事情，但实际上无法办到而感觉不满时，就会表现在梦里，以满足自己。有时我们在一夜之中会做几次梦，梦能唤起脑的正常工作。

míng liàng de yǎn jing
明 亮 的 眼 睛

dòng shǒu zuò
·动 手 做·

yǎn jing bù jǐn ràng wǒ men kàn jiàn le měi lì de fēng jǐng hái ràng wǒ men
眼睛不仅让我们 看见了美丽的风 景，还 让 我们

rèn shi le gè zhǒng gè yàng de shì wù xiàn zài jiù qǐng nǐ ná chū yī miàn xiǎo jìng zi zhào zhe
认识了各 种 各样的事物。现 在，就请你拿出一面 小 镜子，照 着

zì jǐ yǎn jing de yàng zi huà yī shuāng piào liang de yǎn jing ba
自己眼 睛的样子，画一 双 漂 亮的眼 睛吧！

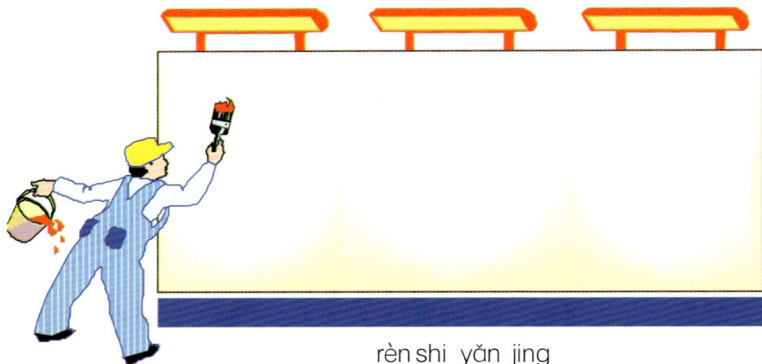

rèn shi yǎn jing
认识眼睛

yǎn jing pōu miàn tú
眼 睛剖 面图

shì wǎng mó   bō li tǐ   tóng kǒng
视 网 膜   玻璃体   瞳 孔

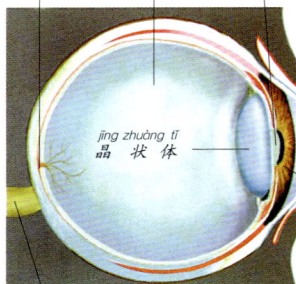

jié máo
睫毛

jīng zhuàng tǐ
晶 状 体

jiǎo mó
角 膜

hóng mó
虹 膜

shì shén jīng
视 神 经

duì zhe jìng zi wǒ men zhǐ néng kàn dào yǎn jing de
对着镜 子，我们 只 能 看 到 眼 睛的

yī xiǎo bù fen qí zhōng bái sè de bù fen jiào gǒng mó
一小部 分，其 中，白色的部 分叫 巩膜，

hēi sè de bù fen jiào hóng mó hóng mó zhōng
黑色的部 分叫 虹 膜，虹 膜 中

xīn de xiǎo yuán diǎn jiào tóng kǒng měi zhī yǎn
心的小 圆 点叫 瞳 孔。每只眼

yǎn jing shì rén de shì jué qì guān
眼 睛是人的视觉器官。

jing qián fāng yǒu yī kuài tòu míng de mó jiào jiǎo mó yǎn jing nèi bù xiàng gè
睛 前 方 有一块 透 明的膜，叫角膜。眼 睛内 部 像个

xiǎo qiú cóng wài dào nèi fēn bié shì jīng zhuàng tǐ bō li tǐ shì wǎng mó hé shì shén jīng
小球，从 外到内分别是晶 状 体、玻璃体、视 网 膜和视 神 经。

眼珠的颜色

虹膜里的黑色素含量决定了眼珠的颜色。如果虹膜里的黑色素含量少，眼珠就是蓝色或灰色；如果虹膜里的黑色素含量多，眼珠就是黑色或深褐色。虽然眼珠的颜色不同，但这并不影响人的视力。

不同颜色的眼珠

眼珠为什么不怕冷

在人的眼珠上有许多神经，有管触觉的，有管痛觉的，就是没有管寒冷感觉的。因此，不管天怎么冷，眼珠也不会觉得冷。此外，眼珠外面柔软的眼皮像两扇大门一样，为眼珠挡住了外面的寒风。

清洁眼睛

每只眼睛上方都有一个泪腺，它们能不断地将眼泪释放出来。当你每次眨眼的时候，它们都会冲洗一遍眼睛。这样，躲在眼睛里的细菌，被泪水一冲洗就再也不能做坏事了。

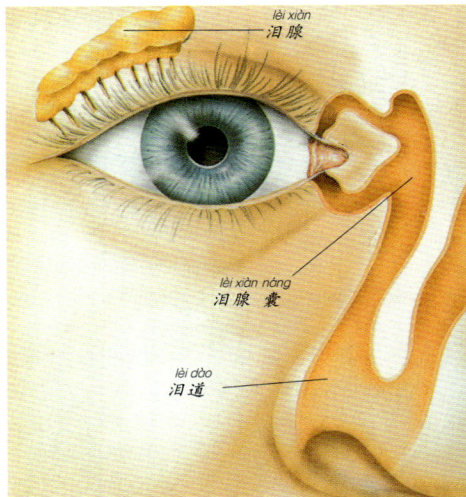

产生眼泪的眼部结构

泪腺

泪腺囊

泪道

神秘的视觉

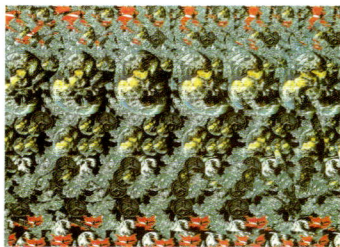

·动手做·

右图是一幅三维立体画，别看它杂乱无章，可是在它的里面却隐藏着一幅立体的图案。现在请你双眼仔细地盯着画面看几分钟，并把你看到的图案画到画板上。

眼睛怎样"照相"

当你注视一个物体的时候，物体所反射的光线通过瞳孔进入晶状体，晶状体将光线集中，并在视网膜上形成一个倒立的像，视网膜通过视神经将看到的物体报告给大脑，大脑就会把图像倒过来。于是，我们就看到了正立着的物体。

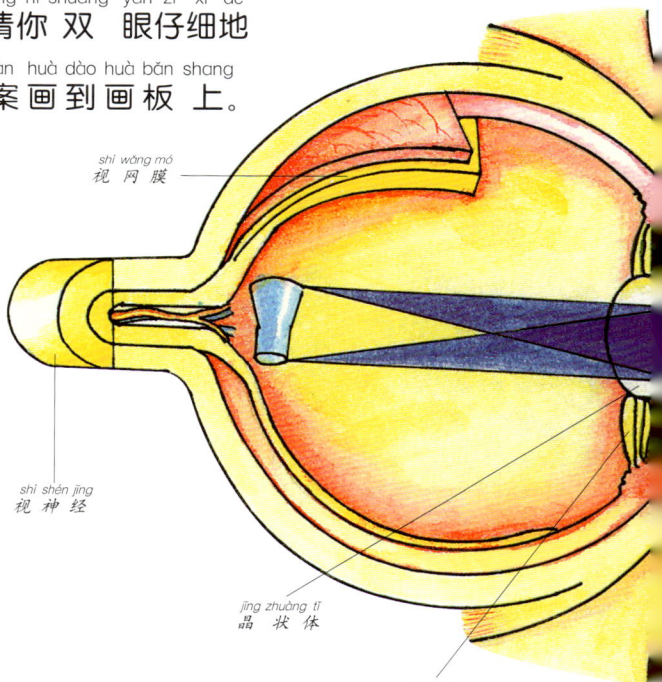

视网膜

视神经

晶状体

虹膜

眼睛是这样看到物体的。

感受光明与黑暗

眼睛在不同的光线下的表现是不同的。在亮光下，瞳孔会缩小；在黑暗处，瞳孔会扩大。这样的变化能保证眼睛在强光下不受伤害，在弱光下看清物体。此外，视网膜中的视杆细胞只能分辨灰色，在暗光下工作得很好；视锥细胞能分辨各种颜色，可接受明亮的光线。

强光下的瞳孔

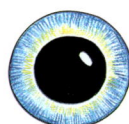
正常光线下的瞳孔

弱光下的瞳孔

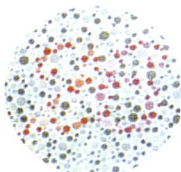
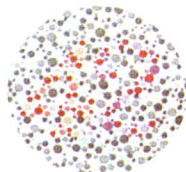
瞳孔的变化

检查色盲的图案

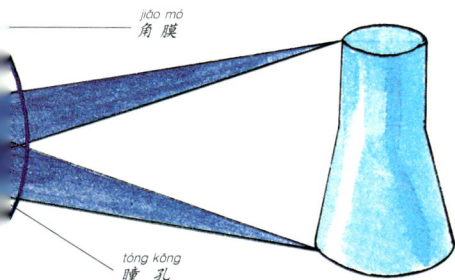
角膜
瞳孔

色盲

一个有色盲的人缺乏辨别某种色彩的能力，最常见的是不能分辨红色和绿色。色盲是由于其视网膜上的视锥细胞中缺乏某种辨色细胞造成的。

近视与远视

近视的人只能看清近处的东西，看不清远处的东西；远视的人却只能看清远处的东西，看不清近处的东西。发生近视和远视的主要原因是眼睛里的晶状体形状的改变。小朋友们千万要注意保护眼睛哟！

检查视力

突出来的是外耳。

灵敏的耳朵
你知道吗

看一看你周围人的耳朵，你会发现，人的耳朵都是突出来的，你知道耳朵为什么会长成这种突出来的样子吗？

我来告诉你

人的耳朵分三部分，它们分别是外耳、中耳和内耳。突出来的部分叫耳廓，它是外耳的一部分，它能帮助我们收集声音。当我们听不太清楚声音的时候，把手放到耳廓后面，就能听得清楚些了。

认识中耳

中耳在头里面，我们用眼睛看不见。它包括鼓膜和3块听小骨。鼓膜是一层半透明的薄膜，把外耳和中耳隔开。鼓膜再往里就是听小骨，根据听小骨不同的形状，我们给它们起了不同的名字，分别叫锤骨、砧骨和镫骨。

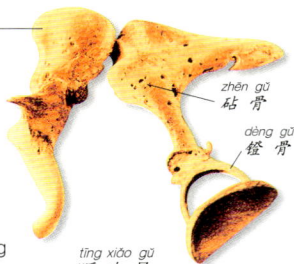
锤骨
砧骨
镫骨
听小骨

tīng shén jīng 听神经
bàn guī guǎn 半规管
chuí gǔ 锤骨
gǔ mó 鼓膜
ěr kuò 耳廓
dèng gǔ 镫骨
zhēn gǔ 砧骨
ěr wō 耳蜗
ěr duo de jié gòu 耳朵的结构
wài ěr dào 外耳道

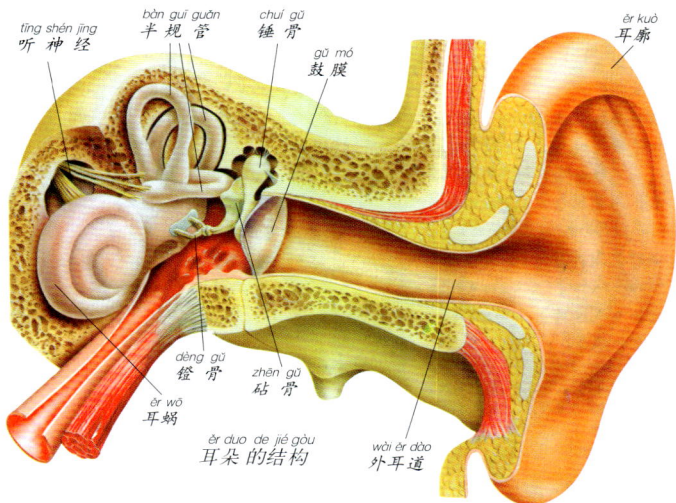

nèi ěr lǐ miàn yǒu shén me
内耳里面有什么

nèi ěr li chōng mǎn le yè tǐ yǒu gè bàn
内耳里充满了液体，有3个半

yuán xíng de jiào zuò bàn guī guǎn de dōng xi hé gè xiàng
圆形的叫作半规管的东西和1个像

wō niú ké yī yàng de ěr wō ěr wō lǐ miàn yǒu
蜗牛壳一样的耳蜗，耳蜗里面有200

duō gēn máo fà xíng de máo xì bāo tā men tōng guò shén
多根毛发形的毛细胞，它们通过神

jīng xiān wéi xiàng nǎo fā sòng xìn hào
经纤维向脑发送信号。

wèi shén me rén zài zhuàn quānr hòu huì jué de tóu yūn
为什么人在转圈儿后会觉得头晕

zài wǒ men měi gè rén de nèi ěr li dōu zhǎng zhe kòng zhì rén tǐ píng héng de qì guān
在我们每个人的内耳里，都长着控制人体平衡的器官，

tā men jiù shì bàn guī guǎn bàn guī guǎn li zhuāng mǎn le yè tǐ zhè xiē yè tǐ zài nǐ zhuàn
它们就是半规管。半规管里装满了液体，这些液体在你转

quānr de shí hou huì gēn zhe nǐ yī qǐ zhuàn dòng cǐ shí bàn guī guǎn kòng zhì shēn tǐ píng
圈儿的时候会跟着你一起转动，此时，半规管控制身体平

héng de běn lǐng jiù bù guǎn yòng le rén shī qù le píng héng dāng rán jiù gǎn dào tóu yūn le
衡的本领就不管用了。人失去了平衡，当然就感到头晕了。

yóu nì nì de ěr gòu
油腻腻的耳垢

ěr duo li yǒu ěr gòu
耳朵里有耳垢。

zài ěr duo de wài ěr dào li cháng cháng huì fēn mì yī zhǒng xiàng là yī yàng de yóu zhī tā
在耳朵的外耳道里，常常会分泌一种像蜡一样的油脂，它

men gēn huī chén pí xiè děng hùn zài yī qǐ jiù xíng chéng le ěr gòu yī xué shang chēng zhī
们跟灰尘、皮屑等混在一起，就形成了耳垢。医学上称之

wèi dīng níng ěr gòu yóu nì nì de wèi dào hěn kǔ rú guǒ xiǎo chóng
为"耵聍"。耳垢油腻腻的，味道很苦，如果小虫

zi zuān jìn ěr duo cháng dào ěr gòu de kǔ wèi jiù huì zì dòng tuì chū lái
子钻进耳朵，尝到耳垢的苦味，就会自动退出来。

bǔ zhuō shēng yīn
捕捉 声音

nǐ zhī dào ma
·你知道吗·

ěr duo shì wǒ men zhòng yào de tīng jué qì guān   nǐ rèn wèi
耳朵是我们 重 要的听觉器官，你认为
tāi ér zài mā ma dù zi li de shí hou néng tīng dào shēng yīn ma
胎儿在妈妈肚子里的时候 能 听到 声音吗？

néng tīng dào   tīng bù dào
A. 能 听到   B. 听不到

nǐ de dá àn
你的答案（   ）

wǒ men zài mā ma dù zi li de shí hou jiù néng tīng dào shēng yīn
我们在妈妈肚子里的时候就能 听到声音。

wǒ men shì zěn yàng tīng dào shēng yīn de
我们是怎样听到声音的

shēng bō shùn zhe wài ěr dào wǎng lǐ zǒu   zhèn dòng le
声波顺着外耳道往里走，振动了
gǔ mó   lì kè bèi zhōng ěr nèi de   kuài tīng xiǎo gǔ jiē shōu
鼓膜，立刻被 中耳内的3块听小骨接收。
tīng xiǎo gǔ hěn kuài jiāng jiē shōu dào de shēng bō sòng dào nèi ěr
听小骨很快将接收到的声波送到内耳。
shēng bō zài nèi ěr chuān guò ěr wō   ěr wō li de máo xì bāo
声波在内耳穿 过耳蜗，耳蜗里的毛细胞
kāi shǐ zhèn dòng zhè zhǒng zhèn
开始振 动，这种振
dòng bǎ shēng bō chuán gěi tīng
动把声波传给听
shén jīng   tīng shén jīng zài
神经，听神经再
bào gào gěi dà nǎo   wǒ men
报告给大脑，我们
jiù tīng dào shēng yīn le
就听到声音了。

wǒ lái gào su nǐ
我来告诉你

tāi ér zài mā ma dù zi li de shí hou néng tīng dào
胎儿在妈 妈肚子里的时候能 听到
shēng yīn   ěr duo shì tāi ér zài mā ma dù zi li de tóu jǐ gè
声音。耳朵是胎儿在妈 妈肚子里的头几个
xīng qī nèi fā yù chéng xíng de   gè yuè hòu tāi ér jiù
星期内发育 成 形的。6个月后，胎儿就
néng tīng dào mā ma de hū xī hé xīn tiào shēng shèn zhì
能 听到妈妈的呼吸和心跳声，甚至
néng tīng dào lái zì mā ma shēn tǐ zhī wài de shēng yīn
能 听到来自妈妈身体之外的 声音。

wǒ men zhè yàng tīng dào shēng yīn
我们这样听到声音

ěr kuò
耳廓

wài ěr dào hé gǔ mó
外耳道和鼓膜

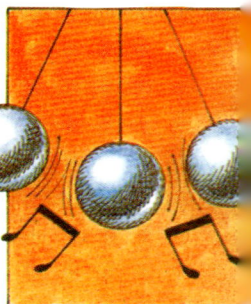

kuài tīng xiǎo gǔ
3块听小骨

人 为 什 么 会 有 两 只 耳 朵
rén wèi shén me huì yǒu liǎng zhī ěr duo

rén yǒu liǎng zhī ěr duo kě yǐ shǐ tóu bù jù yǒu měi gǎn
人有 两只耳朵可以使头部具有美感，

rú guǒ rén de ěr duo dōu zhǎng zài yī cè ér lìng yī cè tū
如果人的耳朵都 长在一侧，而另一侧秃

tū de gāi yǒu duō nán kàn a gèng zhòng yào de shì
秃的，该有多难看啊！更 重 要的是，

liǎng zhī ěr duo néng gòu bāng zhù wǒ men biàn míng shēng yīn
两只耳朵能够帮助我们辨明声音

chuán lái de fāng xiàng
传 来的方向。

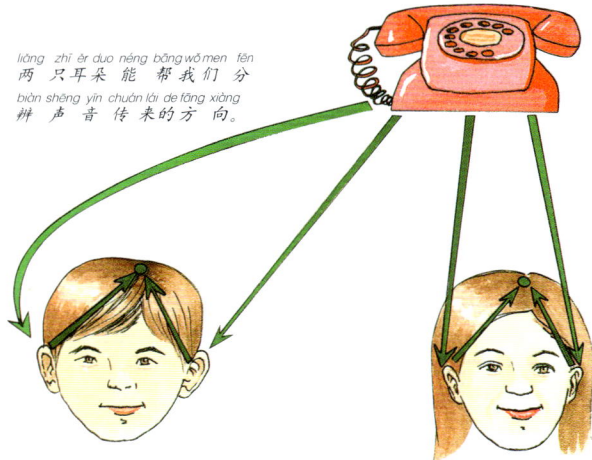

liǎng zhī ěr duo néng bāng wǒ men fēn
两只耳朵能帮我们分
biàn shēng yīn chuán lái de fāng xiàng
辨声音传来的方向。

助听器是怎样工作的
zhù tīng qì shì zěn yàng gōng zuò de

ěr duo de rèn hé yī gè bù fen chū xiàn gù zhàng rén jiù huì tīng bù dào
耳朵的任何一个部分 出 现故 障，人就会 听不到

shēng yīn zhè shí jiù xū yào jiè zhù zhù tīng qì lái tīng shēng yīn le zhù
声音。这时，就需要借助助听器来听声音了。助

tīng qì lì yòng mài kè fēng jiāng shēng yīn shōu jí qǐ lái bìng jiāng tā men
听器利用 麦克风将声音收集起来并 将它们

zhuǎn huà wéi diàn xìn hào diàn xìn hào bèi kuò dà hòu sòng wǎng ěr jī
转 化为电信号，电信号被扩大后送 往耳机，耳

jī jiāng shēng yīn chuán gěi dà nǎo ěr lóng de rén jiù tīng dào shēng yīn le
机将声音传给大脑，耳聋的人就听到声音了。

有 限 的 听 觉 范 围
yǒu xiàn de tīng jué fàn wéi

shēng bō de dān wèi shì hè zī duō shù nián
声波的单位是赫兹。多数 年

qīng rén de tīng lì fàn wéi wéi hè
轻人的听力范围为 15 ～ 20000 赫

zī zhè gè fàn wéi bǐ gǒu hé biān fú de tīng jué
兹。这个范围比狗和蝙蝠的听觉

fàn wéi yào xiǎo de duō rén de tīng jué fàn wéi dào
范围要小得多。人的听觉范围到

zhōng nián yǐ hòu huì biàn de yuè lái yuè xiǎo suǒ
中 年以后会变得越来越小，所

yǐ yǒu hěn duō lǎo nián rén de ěr duo bù hǎo shǐ
以，有很多老年人的耳朵不好使。

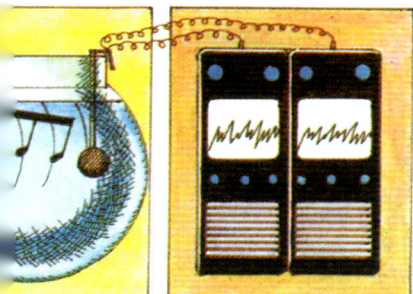

mǎn yè tǐ de nèi ěr
满液体的内耳

chuán dào nǎo bù de shēng bō
传 到脑部的声波

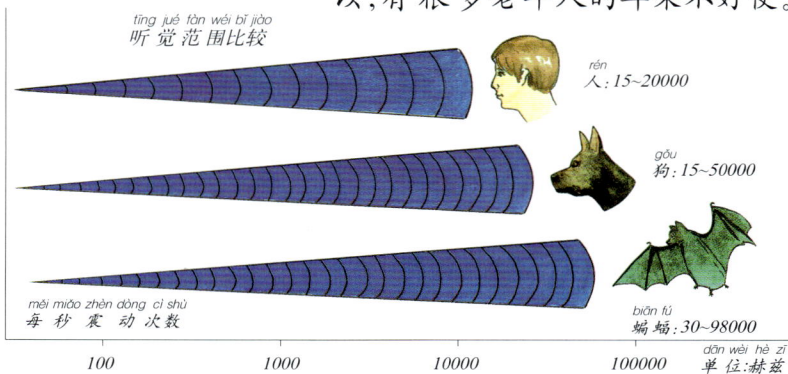

tīng jué fàn wéi bǐ jiào
听 觉范围比较

měi miǎo zhèn dòng cì shù
每秒震动次数

rén
人：15～20000

gǒu
狗：15～50000

biān fú
蝙蝠：30～98000

100	1000	10000	100000	dān wèi hè zī 单位：赫兹

qí yì de chù jué
奇异的触觉

dòng shǒu zuò
·动 手 做·

shōu jí yī xiē cái liào　rú suì zhǐ xiè　róu chéng tuán de zhǐ　mián huā děng
收集一些材料，如碎纸屑、揉 成 团的纸、棉花 等，

rán hòu zài zhǐ shang huà yī
然后在纸 上 画一

pí fū de gǎn jué
皮肤的感 觉

gè dà gài de cǎo tú　yòng
个大概的草图，用

gǎn jué yǎng
感觉痒

jiāo shuǐ bǎ zhè xiē bù tóng de cái liào zhān dào huà chū de bù tóng qū
胶 水把这些不同的材料 粘 到 画出的不同区

yù shang　zhì zuò yī fú wén lǐ huà　děng nǐ de wén lǐ huà liàng gān
域 上，制作一幅纹理画。等你的纹理画 晾 干

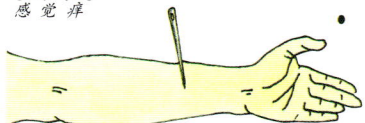

gǎn jué tòng
感觉痛

zhī hòu　ràng nǐ de péng yǒu bì zhe yǎn jing mō huà　kàn tā men néng
之后，让你的朋 友闭着眼 睛摸画， 看他们 能

fǒu píng gǎn jué mō chū shàng mian de dōng xi shì shén me
否 凭 感觉摸出 上 面的东西是什么。

gǎn jué lěng
感觉冷

liǎo jiě chù jué
了解触 觉

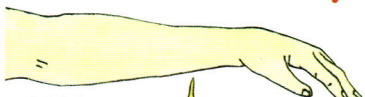

gǎn jué rè
感觉热

chù jué lái zì yú pí fū　pí fū biǎo céng xià yǒu shàng bǎi
触觉来自于皮肤。皮肤表 层下有 上百

wàn gè wēi xiǎo de gǎn shòu qì　qí zhōng yī xiē gǎn shòu qīng de chù
万个微 小的感 受 器，其中一些感 受 轻的触

jué　yī xiē gǎn shòu zhòng de chù jué　lìng yī xiē gǎn shòu tòng
觉，一些感 受 重 的触觉，另一些感 受 痛

jué　hái yǒu yī xiē gǎn shòu rè hé lěng　dāng nǐ jiē chù dào mǒu
觉，还有一些 感 受热和冷。当你接触到 某

gè dōng xi shí　zhè xiē gǎn shòu qì jiù huì xiàng nǎo fā chū xìn hào
个东西时，这些感 受 器就会 向 脑发出信号，

shǐ rén chǎn shēng chù jué
使人产 生 触觉。

触觉感受器
chù jué gǎn shòu qì

zhì dì gǎn shòu qì 质地感受器　yā lì gǎn shòu qì 压力感受器　rè gǎn shòu qì 热感受器　lěng gǎn shòu qì 冷感受器　tòng gǎn shòu qì 痛感受器

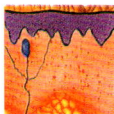    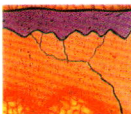

皮肤里含有5种不同的感受器，分别对热、冷、压力、质地和疼痛感觉灵敏。它们的功能不同，在皮肤里的位置也不一样。感受冷、质地和疼痛的感受器靠近皮肤表面；感受热和压力的感受器埋藏得较深。

盲人怎样用手指"看"书
máng rén zěn yàng yòng shǒu zhǐ kàn shū

盲人通过触觉来"看"书，他们的书用盲文写成，盲文由纸面上凸出的小点组成，这些小点分别代表不同的字母和符号。盲人用指尖触摸这些小点，便能知道书上说的是什么。盲人用这种方法每分钟大约能"看"100个字。

máng rén yòng shǒu zhǐ kàn shū
盲人用手指"看"书。

敏感的部位
mǐn gǎn de bù wèi

触觉感受器并不是均匀地分布在皮肤里，而是在一些部位集中，一些部位分散。在人的眼睛、舌头、嘴唇、手指、脚心、脚趾、腋窝等部位有较多的感受器，所以这些部位对触觉很敏感。背部和腿部的感受器较少，所以这些部位对触觉不是很敏感。

rén tǐ gè bù wèi de mǐn gǎn chéng dù bù tóng
人体各部位的敏感程度不同。

wén wèi hé pǐn cháng
闻味和品尝

dòng shǒu zuò
·动手做·

给你的朋友准备四种不同口味的饮料，让他逐个品尝饮料的味道。然后让他闭上眼睛、捏着鼻子品尝饮料，看他能不能正确地说出饮料的名称。

wén dào qì wèi
闻到气味

在鼻腔的顶端，分布着许多嗅觉细胞，它们能分辨出多种气味。空气中的气味飘到鼻子里的时候，会刺激嗅觉细胞，掌管嗅觉的神经把接受到的信息传达给大脑，人就能闻到各种气味了。但鼻子闻一种气味时间长了，嗅觉细胞就会疲劳，造成嗅觉失灵。

dà zì rán de qì wèi
大自然的气味

xiāng shuǐ de qì wèi
香水的气味

huā cǎo de qì wèi
花草的气味

shí wù de qì wèi
食物的气味

gǎn shòu gè zhǒng qì wèi
感受各种气味

舌头用处多

人的舌头用处可多啦!它不仅能帮助我们尝味道,把酸、甜、苦、辣分辨出来,还能帮助我们发音,如果没有舌头,我们就不能说话了。另外,在我们吃东西的时候,舌头就像一台搅拌机,把食物送到咽喉,以便我们咽下去。

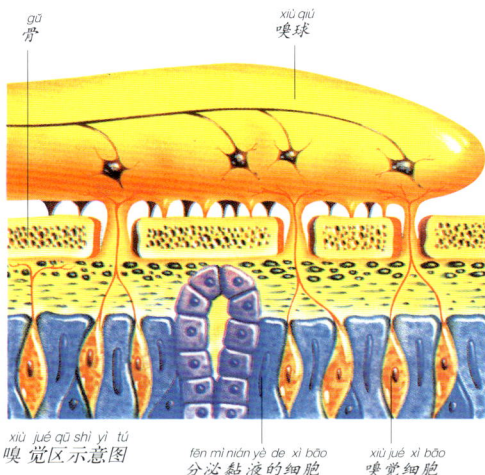

骨

嗅球

嗅觉区示意图

分泌黏液的细胞

嗅觉细胞

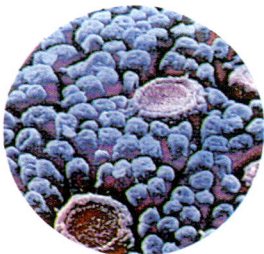

放大了的味蕾细胞

舌头为什么能尝出味道

舌头表面长有许多叫作"味蕾"的小点点,食物被唾液溶解后,味蕾受到刺激便报告大脑,于是我们就知道食物的味道了。分布在舌头不同部位的味蕾,能感觉出各种不同的味道。

垃圾的气味

为什么捏着鼻子尝不出味道

味觉和嗅觉是紧密相关的,只有在它们的共同作用下,我们才能感受到食物和饮料中不同的味道和气味,并避免可能有害的东西,因为有害的东西通常很难闻。

舌头和鼻子是一对好搭档

不可思议的激素
bù kě sī yì de jī sù

你知道吗
nǐ zhī dào ma

活动课上，老师忽然点名 让一个小朋友 站起来给大家唱歌时，你会发现，这个小朋友的脸会 变红，这是他身体里的一种激素发生作用造成的。激素是由内分泌腺产生的。你知道人体内有几种 内分泌腺吗?

A.5种　B.6种　C.7种　D.8种

你的答案（　）

我来告诉你
wǒ lái gào su nǐ

人的身体里有6种 内分泌腺 分泌激素,其中 包括在头部的脑垂体,在颈部的甲状腺、甲状 旁腺,在腹部的肾 上腺、胰腺和性腺。

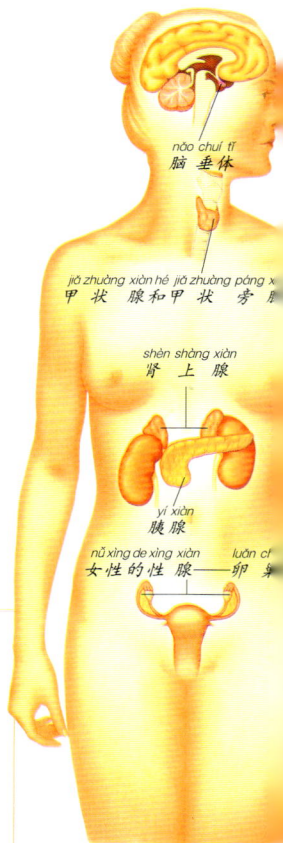

脑垂体
甲状腺和甲状旁腺
肾上腺
胰腺
女性的性腺——卵巢

rén tǐ yǒu 6 zhǒng nèi fēn mì xiàn
人体有6种 内分泌腺

认识激素
rèn shi jī sù

各种内分泌腺 能产生不同 种类的激素。激素利用各自的本领，把信息从内分泌腺带到特定的细胞里，产生效应。正如邮差送信须搭乘交通工具一样，激素须将血液当作运输工具。

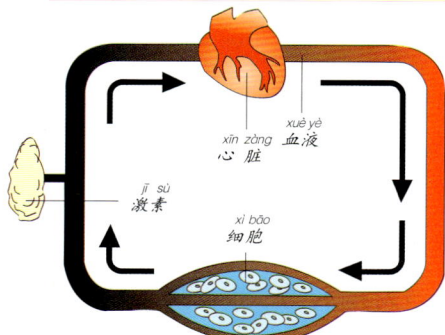

心脏
血液
激素
细胞

xuè yè shì jī sù de yùn shū gōng jù
血液是激素的运输工具。

内分泌腺的管家——脑垂体

脑垂体位于脑部，它的大小和豌豆差不多，是人体其他内分泌腺的管家。脑垂体能分泌多种激素，其主要功能是控制人的生长和指挥其他内分泌腺的工作。

脑垂体分泌的生长激素使人长大。

为什么人会脸红

当人的情绪比较激动时，脑垂体就会指挥肾上腺，让它放出激素。当肾上腺放出的激素到了血管里的时候，就会导致血液循环加快，血压升高，毛细血管扩张，从而使人出现脸红的现象。

人撒谎的时候会脸红。

为什么爸爸长胡子而妈妈不长

男性的性腺里会产生一种叫作雄性激素的东西，它能使男性脸上长出毛茸茸的胡子。而女性的性腺里产生的雌性激素则没有这种功能。这就是男性长胡子，女性不长胡子的原因。

刮胡子

我是男生

wǒ shì nán shēng
我是男生。

nǐ zhī dào ma
·你知道吗·

nán shēng zài hěn xiǎo de shí hou jiù zhī dào　zì jǐ hé nǚ shēng shì bù
男生在很小的时候就知道，自己和女生是不

yī yàng de　　rú guǒ nǐ shì nán shēng　nǐ zhī dào zì jǐ nǎ xiē dì fang hé
一样的。如果你是男生，你知道自己哪些地方和

nǚ shēng bù　yī yàng ma
女生不一样吗?

wǒ lái gào su nǐ
我来告诉你

nán shēng hé nǚ shēng zài　xiǎo de shí hou zhǔ　yào shì zài shēng zhí qì guān
男生和女生在小的时候主要是在生殖器官

shang cún zài zhe jiào míng xiǎn de bù tóng　nán shēng zhǎng dà hòu huì zhǎng chū
上存在着较明显的不同。男生长大后,会长出

hóu jié　hú zi hé jiào duō de tǐ máo　ér qiě gè zi wǎng wǎng yě bǐ nǚ shēng gāo
喉结、胡子和较多的体毛,而且个子往往也比女生高。

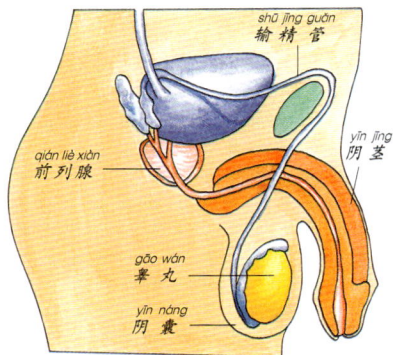

shū jīng guǎn
输精管

qián liè xiàn
前列腺

yīn jīng
阴茎

gāo wán
睾丸

yīn náng
阴囊

nán xìng de shēng zhí qì guān
男性的生殖器官

nán xìng de shēng zhí qì guān
男性的生殖器官

nán xìng de shēng zhí　qì guān yóu yīn jīng　yīn náng　gāo wán　shū jīng guǎn
男性的生殖器官由阴茎、阴囊、睾丸、输精管、

qián liè xiàn děng bù fen zǔ chéng　tā men suí zhe nán shēng de shēng zhǎng zhú jiàn fā
前列腺等部分组成。它们随着男生的生长逐渐发

yù chéng shú　dāng nán shēng fā yù chéng shú shí　　tā de shēng zhí qì guān jiù jù
育成熟。当男生发育成熟时,他的生殖器官就具

bèi le chǎn shēng jīng zǐ　　chǔ cún jīng zǐ hé shì fàng jīng zǐ de gōng néng
备了产生精子、储存精子和释放精子的功能。

yīn jīng、yīn náng hé gāo wán
阴茎、阴囊和睾丸

yīn jīng　yīn náng jí　yīn náng lǐ miàn de gāo wán wèi yú nán xìng
阴茎、阴囊及阴囊里面的睾丸位于男性

liǎng tuǐ jiān de dǐng duān　yīn náng qǐ zhe bǎo hù gāo wán de zuò yòng
两腿间的顶端。阴囊起着保护睾丸的作用，

gāo wán shì shēng zhí qì guān zhōng néng chǎn shēng jīng zǐ de qì
睾丸是生殖器官中能产生精子的器

guān　yīn jīng jiān yǒu pái niào hé shè jīng liǎng zhǒng gōng néng
官，阴茎兼有排尿和射精两种功能。

yī gè kě ài de nán yīng
一个可爱的男婴

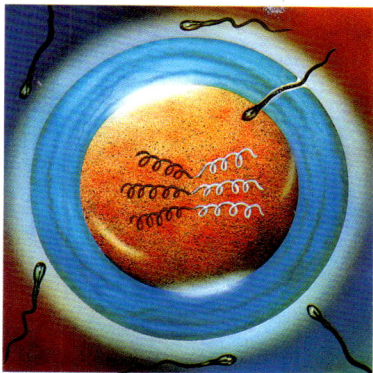
zuì zhōng zhǐ yǒu yī gè jīng zǐ jìn rù luǎn zǐ
最终只有一个精子进入卵子。

nán zǐ wèi shén me chǎn shēng zhè me duō jīng zǐ
男子为什么产生这么多精子

měi tiān　chéng shú nán zǐ de gāo wán néng chǎn shēng jǐ bǎi wàn gè jīng zǐ
每天，成熟男子的睾丸能产生几百万个精子，

suī rán yǒu zhè me duō de jīng zǐ　dàn jǐn yǒu jǐ bǎi gè jīng zǐ néng kào jìn luǎn zǐ　zuì
虽然有这么多的精子，但仅有几百个精子能靠近卵子，最

zhōng zhǐ yǒu yī gè jīng zǐ néng shǐ luǎn zǐ shòu jīng　nán zǐ chǎn shēng zhè me duō
终只有一个精子能使卵子受精。男子产生这么多

de jīng zǐ　jiù shì wèi le bǎo zhèng jīng zǐ zhōng de yī gè néng shǐ luǎn zǐ shòu jīng
的精子，就是为了保证精子中的一个能使卵子受精。

jīng zǐ
精子

chéng shú nán zǐ de shēng zhí qì guān néng chǎn
成熟男子的生殖器官能产

shēng jīng zǐ　jīng zǐ de xíng zhuàng lèi sì yú xiǎo kē
生精子。精子的形状类似于小蝌

dǒu　yǒu tóu bù hé xiàng wěi ba yī yàng de biān máo　nán
蚪，有头部和像尾巴一样的鞭毛。男

shēng dào le　suì zuǒ yòu jiù néng chǎn shēng jīng zǐ　dāng jīng zǐ yù dào luǎn zǐ
生到了15岁左右就能产生精子。当精子遇到卵子

de shí hou　biàn kě néng huì shǐ luǎn zǐ shòu jīng chuàng zào chū yī gè xīn shēng mìng
的时候，便可能会使卵子受精，创造出一个新生命。

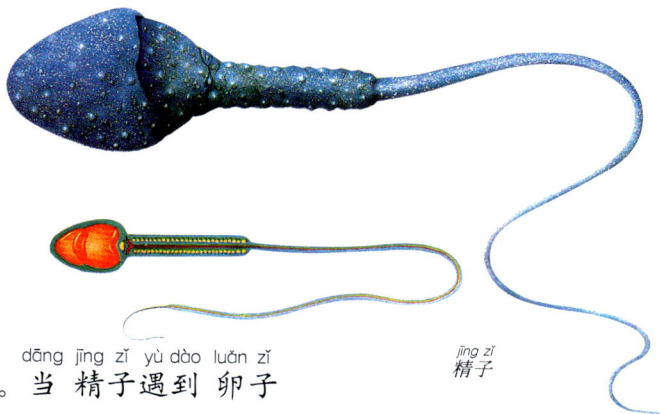
jīng zǐ
精子

我是女生
wǒ shì nǚ shēng

你知道吗
nǐ zhī dào ma

我们从很小的时候就知道,这个世界上既有男孩,又有女孩。如果你是女孩,你知道是什么使你成为女孩吗?

我来告诉你
wǒ lái gào su nǐ

人的性别是由精子中的性染色体决定的。当爸爸的精子中含X染色体的精子与卵子相遇时就会生个女儿;当爸爸的精子中含Y染色体的精子与卵子相遇时就会生个儿子。

女性生殖器官
nǚ xìng shēng zhí qì guān

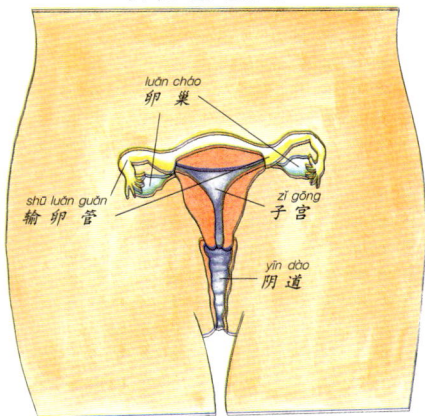

卵巢 luǎn cháo

输卵管 shū luǎn guǎn

子宫 zǐ gōng

阴道 yīn dào

我是女生。
wǒ shì nǚ shēng

女性生殖器官
nǚ xìng shēng zhí qì guān

女性的生殖器官是女性具有的能产生和释放卵子的器官,由卵巢、输卵管、子宫和阴道等部分组成。女生长到13岁左右,这个器官就开始产生卵子了。

卵子

成熟女子的生殖器官能产生卵子。卵子比体内的正常细胞大得多。每个月都有一个卵子成熟，并从卵巢里排出。当有精子进入这个卵子的时候，这个卵子就变成了受精卵。

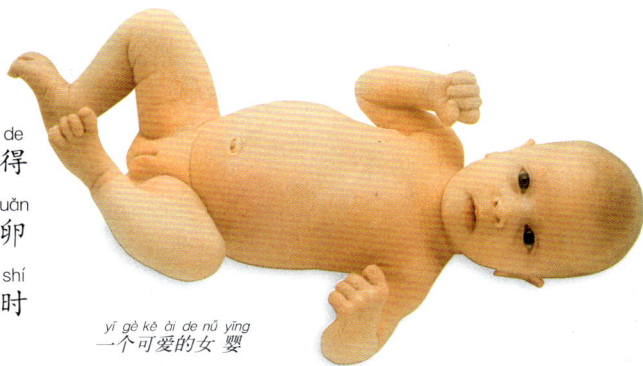
一个可爱的女婴

月经是怎么回事

卵子从卵巢排出时，子宫内膜会变厚，如果卵子没有受精，子宫内膜就会脱落并从阴道排出，其中含有未受精的卵子和血液，这就是月经。女生长到13岁左右，就可能出现月经，第一次出现的月经叫作初潮。

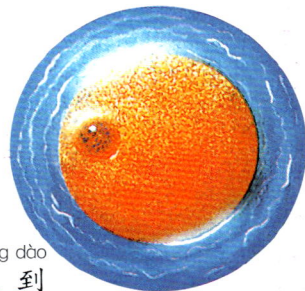
卵子

为什么妈妈会生小孩而爸爸不会

因为妈妈肚子里有一个温暖的小房子——子宫，受精卵住在小房子里发育长大。而爸爸的身体构造和妈妈不同，肚子里不适合小孩生长，所以爸爸不会生出小孩。但如果没有爸爸体内排出的精子，妈妈也是生不出小孩的。

生孩子是爸爸妈妈共同的事情。

wǒ cóng nǎ li lái
我 从 哪里来

nǐ zhī dào ma
·你知道吗·

kàn kan nǐ de dù pí nǐ huì fā xiàn shàng mian yǒu gè dù qí
看看你的肚皮，你会发现 上 面有个肚脐

yǎnr nǐ zhī dào rén wèi shén me dōu yǒu gè dù qí yǎnr ma
眼儿，你知道人为 什 么都 有个肚脐眼儿吗？

wǒ de dù qí yǎnr zhǎng zài zhè lǐ
我的肚脐眼儿 长 在这里。

wǒ lái gào su nǐ
我来告诉你

zài mā ma dù zi li de tāi ér shì yòng yī gēn cháng cháng de qí dài xī shōu mā ma shēn shang de yíng
在妈妈肚子里的胎儿，是用一根 长 长的脐带吸收妈妈身 上的营

yǎng de tāi ér chū shēng hòu jiù gǎi yòng zuǐ ba chī nǎi qí dài biàn méi yòng le yī shēng huì bǎ qí dài
养的。胎儿出 生 后，就改用 嘴巴吃奶，脐带 便 没 用了，医生 会把脐带

jiǎn diào shèng xià yī xiǎo duàn qí dài huì zì rán gān kū tuō diào liú xià de bā hén jiù shì dù qí yǎnr
剪掉，剩下一小 段脐带会自然干枯、脱掉，留下的疤痕就是肚脐眼儿。

shēng mìng de kāi shǐ
生 命 的开始

suǒ yǒu de xīn shēng mìng dōu shì cóng yī gè xì bāo kāi shǐ de dāng lái zì bà ba tǐ nèi de
所有的新 生 命 都是从一个细胞开始的。当来自爸爸体内的

cóng xì bāo dào rén tǐ de
从 细胞 到 人体的

jīng zǐ jìn rù mā ma tǐ nèi de luǎn zǐ shí zhè ge xì bāo jiù xíng chéng le tā zài mā ma de zǐ
精子进入妈妈体内的卵子时，这个细胞就形 成了。它在妈妈的子

fā yù guò chéng
发育过 程

gōng li yī cì yòu yī cì de fēn liè fán zhí chū qiān bǎi wàn gè xì bāo jiù gòu chéng le pēi tāi
宫里一次又一次地分裂，繁殖出 千百万个细胞，就构 成了胚胎。

pēi tāi jì xù fā yù jiù xíng chéng le
胚胎继续发育，就形 成了

tāi ér tāi ér lái dào shì jiè shang jiù
胎儿。胎儿来到世界 上就

shì yī gè dú lì de shēng mìng tǐ
是一个独立的生 命体。

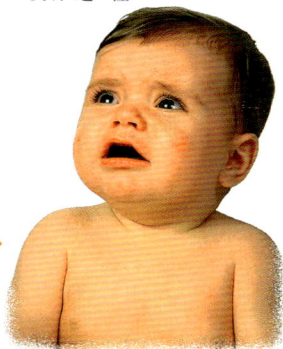

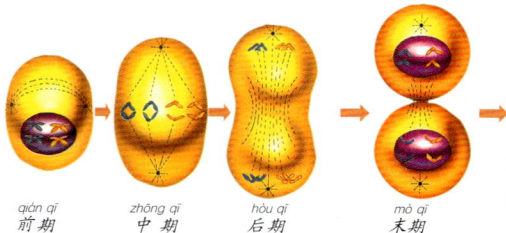

qián qī / zhōng qī / hòu qī / mò qī
前期 / 中 期 / 后期 / 末期

胎儿在妈妈肚子里干什么

胚胎在妈妈子宫里通过脐带吸收养分，不断长大。当他长成胎儿时，渐渐地就能够用眼睛看东西、用耳朵听声音了。大约从4个月起，他就能品尝出味道了。8个月左右的胎儿已经十分"能干"了，他会做出打哈欠、吮吸手指等动作。

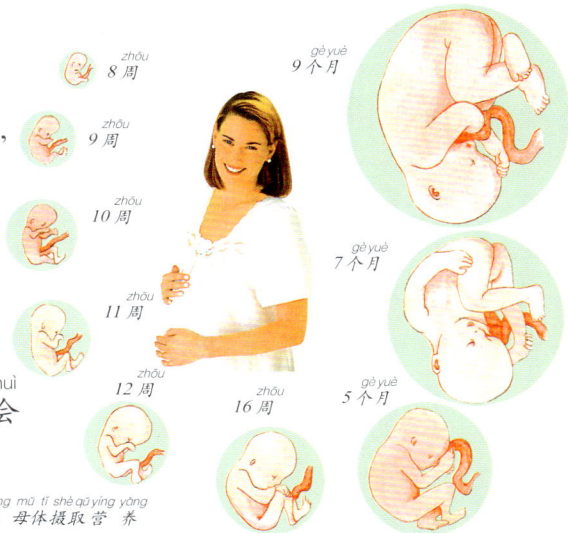

8周 *9周* *10周* *11周* *12周* *16周* *9个月* *7个月* *5个月*

胎儿通过从母体摄取营养和氧气而逐渐发育成形。

宝宝诞生

胎儿在妈妈肚子里长到9个月的时候，就准备呱呱坠地了。出生时，胎儿的头部开始下降，妈妈的子宫颈会慢慢扩张，同时，子宫的肌肉会强烈收缩，好让胎儿顺利诞生。

双胞胎是怎么回事

一种情况是，当来自爸爸体内的精子进入妈妈的卵子中时，分裂成两个胚胎，发育成双胞胎，这样的双胞胎长得十分相似，而且是同性的。另一种情况是，妈妈的卵巢里同时放出两个卵子，每个卵子里进去爸爸的一个精子，发育成双胞胎，这样的双胞胎长得不太像，而且可以是同性，也可以是异性的。

双胞胎

bù zhī bù jué de zhǎng dà
不知不觉地长大

dòng shǒu zuò
·动手做·

zhǔn bèi yī bǎ chǐ zi hé yī gè jì lù běn   měi
准备一把尺子和一个记录本，每

tiān yòng chǐ   liáng yī xià zhǐ jia de
天用尺 量一下指甲的

cháng dù   měi gè xīng qī
长度，每个星期

liáng yī xià tóu fa de cháng dù   měi liǎng
量一下头发的长度，每两

gè xīng qī liáng yī xià tóu wéi   měi yī gè yuè huà xià nǐ de jiǎo xíng   bìng liáng yī liáng jiǎo xíng de cháng dù   jiāng zhè xiē jì
个星期量一下头围，每一个月画下你的脚形，并量一量脚形的长度。将这些记

lù zhěng lǐ chū lái   kàn yī kàn nǐ liáng guò de nǎ ge shēn tǐ bù wèi zhǎng de zuì kuài
录整理出来，看一看你量过的哪个身体部位 长得最快？

rén shì zěn yàng shēng zhǎng de
人是怎样生长的

měi gè rén de shēn tǐ zài yī shēng zhōng   dōu zūn xún zhe xiāng
每个人的身体在一生 中 都遵循着 相

tóng de biàn huà mó shì   cóng yīng ér zhǎng chéng
同的变化模式，从婴儿长 成

yòu ér   cóng yòu ér zhǎng dào shǎo nián   rán hòu
幼儿，从幼儿长 到少年，然后

shì qīng nián   zhōng nián   zuì hòu bù rù lǎo nián
是青年、中年，最后步入老年。

rén de shēng zhǎng dà duō shì yóu tǐ nèi xì bāo shù
人的生 长大多是由体内细胞数

liàng de zēng jiā ér yǐn qǐ de   zhè ge guò chéng
量的增加而引起的，这个过 程

yī zhí chí xù dào wǒ men fā yù wán quán
一直持续到我们发育完 全。

rén zài bù zhī bù jué zhōng zhǎng dà
人在不知不觉 中 长大。

青春发育期

青春发育期是人长得较快的时期。一般来说，女孩在11岁的时候进入青春发育期，而男孩则在13岁进入青春发育期。大多数人到20岁的时候已经发育完全，只不过每个人的成长速度稍有差别。

为什么有人长得高有人长得矮

在青春期之前，一般是年龄大的孩子比年龄小的孩子长得高。青春期结束后，人的身高基本上就固定下来了。人的高矮取决于遗传、营养及体育锻炼等因素。从小就加强营养，并注意体育锻炼，即使父母个子矮，孩子也可能长高。

有人长得高，有人长得矮。

老年人

人为什么会变老

人体是由细胞组成的，每秒钟约有125兆个细胞死亡，并由新生的细胞代替。除神经细胞外，人体大约每6～7年要更换一次新细胞，但人的神经细胞没有再生能力，它的衰老死亡，可导致人的衰老死亡。

nǐ zhǎng de xiàng shuí
你长得像谁

nǐ zhī dào ma
·你知道吗·

你可能会遇到这样的情况：有的人会说你长得像爸爸，有人却说你长得像妈妈。你知道这是为什么吗？

孩子长得既像爸爸又像妈妈。

wǒ lái gào su nǐ
我来告诉你

在人的细胞里，存在23对染色体，每对染色体上都有很多"遗传因子"，我们叫它"基因"。人通过基因可以将各种身体特征，如头发的颜色、身高、长相等遗传给子女，所以每个小朋友差不多都既像爸爸，又像妈妈。

qí miào de
奇妙的 DNA

基因位于细胞核内的染色体上，DNA 是组成基因的物质。DNA 像一个盘旋而上、两边有扶手的楼梯，遗传密码就存在于中间的阶梯上，这些阶梯是由一对对手拉手的碱基构成的。

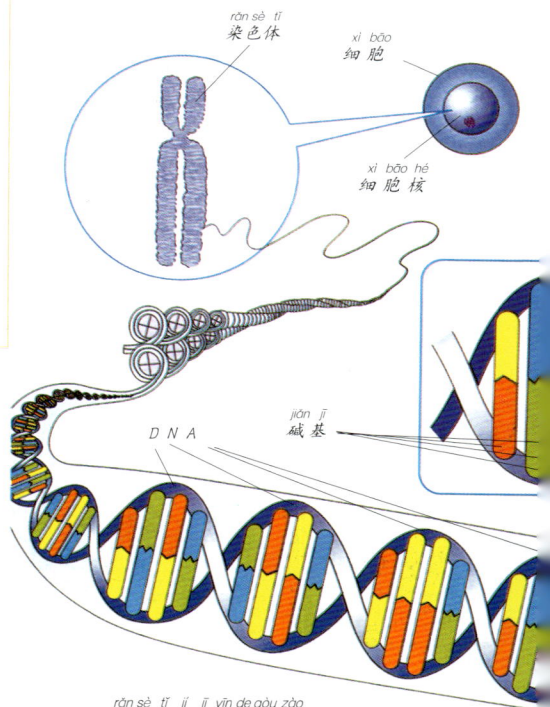

染色体及基因的构造

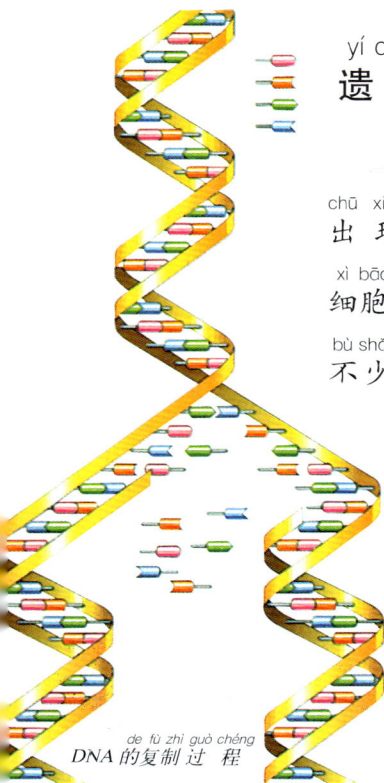

遗传的奥秘

我们已经知道，新生命的出现是细胞分裂的结果。上一代细胞里的遗传物质之所以会一个不少地传给下一代，是因为在细胞分裂之前，细胞里起到遗传作用的DNA在不断地进行复制。当DNA进行复制的时候，碱基先分开手，再分别找到与自己相配套的手，形成与以前完全相同的两个楼梯。等到细胞分裂时，一个细胞里已经包含着完全相同的两组DNA遗传密码了。

DNA的复制过程

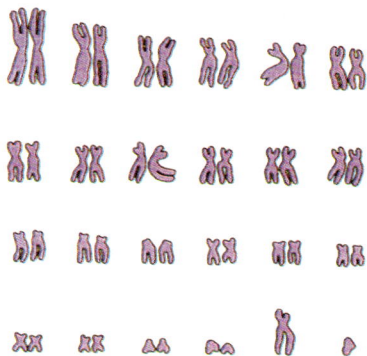

人体细胞的细胞核内有23对染色体。

人能克隆吗

克隆就是没有精子和卵子结合，只是采用技术手段使身体细胞分裂成一个人。在技术上，人是能克隆出来的，但克隆出的这个人既不是自己的孩子也不是自己的兄弟姊妹，无法确定身份，而且还有许多其他的问题。所以，许多人并不赞成克隆人。

从技术上讲人是能克隆的。

与疾病有关的常识

dòng shǒu zuò
·动手做·

cóng xiǎo dào dà wǒ men dōu kě néng shēng guò bìng qù guò
从小到大，我们都可能生过病，去过

yī yuàn xiàn zài jiù bǎ nǐ zài yī yuàn huò zài huà bào shang jiàn dào guò
医院。现在就把你在医院或在画报上见到过

de yī shēng wèi bìng rén jiǎn chá shēn tǐ de qì xiè huà chū lái ba
的医生为病人检查身体的器械画出来吧!

yī shēng yòng tīng zhěn qì wèi nǚ hái jiǎn chá shēn tǐ
医生用听诊器为女孩检查身体。

chuán rǎn bìng
传染病

chuán rǎn shì dǎo zhì ér tóng huàn bìng de zhǔ yào yīn sù chuán rǎn bìng kě yǐ
传染是导致儿童患病的主要因素。传染病可以

cóng huàn zhě shēn shang chuán rǎn gěi jiàn kāng rén chuán rǎn de fāng shì hěn duō
从患者身上传染给健康人。传染的方式很多，

lì rú xī rù chuán rǎn bìng huàn zhě dǎ pēn tì dài chū de hán bìng jūn de tuò yè wēi
例如吸入传染病患者打喷嚏带出的含病菌的唾液微

lì bìng jūn cóng pí fū shāng kǒu rù qīn huò chī le bèi bìng jūn wū rǎn de shí wù
粒，病菌从皮肤伤口入侵或吃了被病菌污染的食物

děng bǎo chí liáng hǎo de wèi shēng xí guàn kě yù fáng chuán rǎn bìng
等。保持良好的卫生习惯可预防传染病。

dài kǒu zhào kě yǐ fáng zhǐ jiāng mǒu xiē chuán rǎn bìng chuán gěi bié rén
戴口罩可以防止将某些传染病传给别人。

人为什么会感冒

感冒是由病毒引起的。如果鼻腔或喉咙里面的黏膜不健康的话，病毒就容易进入体内。人在着凉后，会感到喉咙疼，全身无力，这时，各种病毒就会乘虚而入。除此之外，在身体过度疲劳、抵抗力降低时也容易引起感冒。

为什么打针吃药能治好病

医生们发明了许多种对付各种病菌的药物，当我们吃药或打针后，药物就会进入血液，血液在血管里不停地流动，就能把药物送到有病的地方，并杀死病菌，这样，病就被治好了。

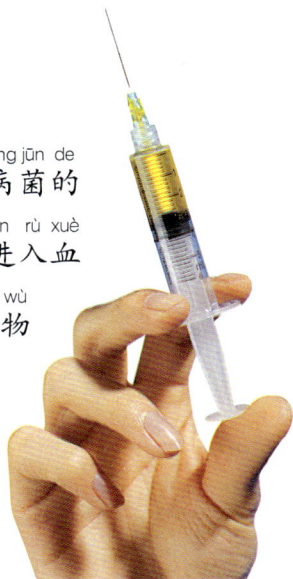

医生用的注射器

肥胖病能治吗

胖人要注意饮食。

过去，人们总认为儿童长得胖就是健康，其实，儿童胖并不是一件好事，因为人过于胖就成肥胖病了。只要肥胖的小朋友每天吃饭定量，少吃零食和糖，少吃肥肉和油腻的东西，多吃蔬菜，再多活动活动，就能慢慢减肥的。